Elements of Literatur

MW00610319

Supporting
Instruction in Spanish

HOLT, RINEHART AND WINSTON

A Harcourt Education Company

Orlando • **Austin** • New York • San Diego • Toronto • London

Staff Credits

Editorial Vice President: Laura Wood

Project Director: Kathleen Daniel

Executive Editors: Laura Mongello, Katie Vignery

Managing Editor: Marie Price

Copyediting Manager: Michael Neibergall

Senior Editors: Amy Fleming, Ivonne Mercado

Editorial Staff: Abraham Chang

Assistant Editorial Coordinator: Betty Gabriel

Copyediting Supervisor: Mary Malone

Senior Copyeditor: Liz Dickson

Translations: Language for Industry Worldwide, Inc.

Production Managers: Catherine Gessner, Carol Trammel

Sr. Production Coordinators: Belinda Lopez, Michael Roche

Printed in the United States of America

ISBN 0-03-073827-X

3 4 5 6   018   07 06 05 04

Part I: Selection Summaries

COLLECTION 1
Plot and Setting • Generating Research Questions

COLLECTION 2
Character • Using Primary and Secondary Sources

COLLECTION 3
Narrator and Voice • Synthesizing Sources

COLLECTION 4
Comparing Themes • Synthesizing Sources

COLLECTION 5
Irony and Ambiguity • Evaluating an Argument

COLLECTION 6
Symbolism and Allegory • Synthesizing Sources

COLLECTION 7
Poetry

COLLECTION 8

Evaluating Style • Evaluating Arguments: Pro and Con

COLLECTION 9

Biographical and Historical Approach • Using Primary and Secondary Sources

COLLECTION 10

Epic and Myth • Evaluating an Argument

COLLECTION 11
Drama • Synthesizing Sources

COLLECTION 12
Consumer and Workplace Documents

Part II: A Writer's Framework

Part III: Grammar Guide

Part IV: Video Summaries

Visual Connections Summaries

To the Teacher

This book consists of translations of selected materials from the *Elements of Literature* program. To make this program more accessible to Spanish-speaking students, key materials have been translated into Spanish. This book is divided into the following four parts.

Part I

The first part contains translations of summaries of the main literature selections in the Student Edition. These short summaries can be used in a number of ways to help Spanish-speaking students make the transition to English. They can also be used to help Spanish-speaking parents play a more informed and active role in their children's education. (Audio recordings of the Spanish summaries are available in *Audio CD Library, Selections and Summaries in Spanish.*)

Part II

The second part contains translations of each Writer's Framework in the *Elements of Literature* Writing Workshops. Each graphic gives a quick and clear review of how students can structure and organize their papers.

Part III

The third part provides in a glossary format explanations and examples of key grammar concepts and terminology that are taught in the Language Handbook. The translation of this material will help Spanish-speaking students make the difficult transition from their native language to English.

Part IV

The fourth part contains introductions to and summaries of the segments in *Visual Connections Videocassette Program*. These introductions and summaries will better enable Spanish-speaking students to understand and profit from the author biographies, interviews, historical summaries, and cross-curricular connections.

Part I   Selection Summaries

Colección 1

La trama y el escenario • Formular preguntas de investigación

The Most Dangerous Game *Elements of Literature,* page 4
La presa más peligrosa de Richard Connell

Sanger Rainsford, un experto cazador estadounidense, cae accidentalmente de un yate. Después de nadar hasta una isla misteriosa, Sanger descubre el chalet estilo medieval de un culto pero siniestro ruso, el general Zaroff. El chalet es resguardado por tres bravos sabuesos y atendido por Iván, un temible sirviente. Zaroff le confiesa a Rainsford que su pasión por la cacería se ha frustrado debido a la falta de presas difíciles y presume de tener en su isla a la presa más peligrosa e inteligente de todas: el ser humano. Rainsford se rehusa a unirse a Zaroff en la cacería, pero el malvado ruso obliga a su "invitado" a convertirse en presa. Zaroff se dedica a acechar a Rainsford, quien debe hacer uso de su ingenio para evitar ser capturado y morir. Después de una persecución llena de suspenso, Rainsford resulta más inteligente que Zaroff y lo sorprende en su recámara. El final no se describe en detalle, pero el libro da a entender que Zaroff termina como alimento de sus sabuesos.

Can Animals Think? *Elements of Literature,* page 26
¿Piensan los animales? de Eugene Linden

En este artículo publicado en una revista, Eugene Linden presenta cuatro ejemplos de conducta animal inteligente y explora la idea de que en realidad los animales aprovechan su inteligencia para satisfacer sus propósitos y no para dar gusto a los científicos que los estudian. Primero, Linden describe las continuas fugas de un orangután de su jaula del zoológico de Omaha. También relata la historia de Washoe, un chimpancé que logró aprender más de 130 palabras del lenguaje americano de signos. Después describe la hazaña de Orky, una orca que ayudó a salvar a su cría. Finalmente, Linden relata la historia de dos orangutanes que descubrieron la forma de hacer que sus cuidadores les dieran doble ración de naranjas.

Dog Star *Elements of Literature,* page 32
El perro estrella de Arthur C. Clarke

El narrador de esta historia de ciencia-ficción sueña que oye a su perra Laika
ladrar desesperadamente. Cuando despierta, se da cuenta de que está en su
trabajo en el lado obscuro de la Luna y recuerda haber dejado a Laika en la
Tierra hace cinco años. En una vuelta al pasado, el narrador recuerda
cuando encontró a Laika abandonada cerca del Observatorio del Monte
Palomar de California cuando apenas era una cachorrita y cómo se encariñó
con ella a pesar de que no le gustaban los perros. La perrita lo acompañaba a
diario y en una ocasión le salvó la vida cuando ladró para despertarlo justo
antes de que ocurriera un terremoto. Cuando tuvo que partir a la estación
lunar, ambos quedaron devastados y la perrita murió al poco tiempo.
Cuando sus recuerdos se desvanecen, el narrador se incorpora de su sueño y
se da cuenta de que ha vuelto a despertar justo antes de un terremoto lunar.
Logra escapar y rescata a todos sus colegas excepto a dos de ellos. El
narrador tiene explicaciones racionales para su sueño, pero en el fondo
desearía haberse quedado soñando con Laika por un poco más de tiempo.

The World Is Not a Pleasant Place to Be
Elements of Literature, page 40
El mundo no es un lugar agradable (Conexión) de Nikki
Giovanni

En este poema, el narrador reflexiona sobre la importancia de tener a
"alguien a quien sostener y alguien que lo sostenga a uno". El poema está
escrito en lenguaje figurativo y usa imágenes de un río, las nubes y el mar
para demostrar la profunda necesidad de compañía del ser humano.

Far-out Housekeeping on the ISS *Elements of Literature,* page 43
Quehaceres lejanos en la ISS de Ron Koczor

Esta página de Internet de la NASA con fecha del 29 de noviembre de 2000, describe la vida cotidiana a bordo de la Estación Espacial Internacional o ISS (International Space Station). Antes de comer, los tripulantes de la ISS calientan alimentos preparados o hidratan alimentos secos empacados en bolsas. No hay alimentos refrigerados y la conservación del agua es una prioridad. El transbordador espacial y los vehículos de abastecimiento no tripulados llevan alimentos a la ISS y recogen la basura. Posteriormente, los vehículos no tripulados se incineran espontáneamente junto con la basura al entrar en la atmósfera. Muchas veces, los tripulantes de la ISS envían correo electrónico a su familia, hacen llamadas por video-teléfono una vez a la semana y llevan consigo desde juegos de ajedrez hasta unos DVD para entretenerse en su tiempo libre.

La página tiene un enlace de audio que permite a los visitantes escuchar la grabación del artículo; otros enlaces internos permiten consultar más artículos sobre los temas principales. También tiene una lista de títulos y un ícono que enlazan con otras páginas de Internet relacionadas con el tema.

A Christmas Memory *Elements of Literature,* page 50
Un recuerdo navideño de Truman Capote

Esta historia prácticamente autobiográfica sucede en una región rural del sur de Estados Unidos durante la Gran Depresión y gran parte de ella se desenvuelve en una acogedora cocina familiar. A pesar de que la casa alberga a numerosos familiares, la historia se centra en el narrador, Buddy, y su prima de edad mayor pero con espíritu de niña, quien al mismo tiempo es su mejor amiga. La historia relata los recuerdos de la última Navidad de Buddy con su amiga cuando él tenía siete años y ella más de sesenta. La narración comienza con el primer día frío del invierno, estación que la prima de Buddy siempre llamó "la estación del pastel de frutas". Juntos recolectan las nueces caídas de los árboles y reúnen las frutas secas, el whisky de contrabando y otros ingredientes necesarios para hornear treinta y un pasteles tradicionales de frutas. Cada año envían los pasteles a personas de su estima, como los misioneros de Borneo y el presidente Roosevelt. Al día siguiente después de hornear los pasteles de frutas, Buddy y su prima salen al bosque a buscar un árbol de Navidad y cuando regresan a casa lo decoran con adornos hechos a mano. Luego hacen regalos para todos los miembros de la familia y, a pesar de que les gustaría intercambiar regalos costosos entre ellos mismos, Buddy y su prima no tienen dinero y por eso se regalan mutuamente un papalote hecho a mano. El día de Navidad, mientras vuelan su papalote, viven un momento de gran felicidad; aunque, esta sería su última Navidad juntos. Posteriormente, Buddy es enviado a una academia militar y unos años después su prima se enferma y muere durante la "estación del pastel de frutas". Buddy siente como si hubiese perdido una parte de sí mismo y busca en el cielo de invierno como esperando mirar un par de papalotes remontándose juntos hacia el infinito.

My Father Is a Simple Man *Elements of Literature,* page 62
Mi padre es un hombre sencillo (Conexión) de Luis Omar Salinas

En este homenaje escrito en verso libre, el narrador alaba la sencillez, la decencia y el carácter laborioso de su padre. Mientras caminan juntos por el pueblo para comprar el periódico, platican sobre el precio de las granadas y las naranjas y hablan de la muerte. El narrador se da cuenta de que ama a su padre tanto que sería capaz de dar la vida por él. También comprende que las virtudes más sencillas de su padre, como su amabilidad, paciencia, carácter laborioso y honestidad, lo hacen un hombre verdaderamente extraordinario.

Colección 2

El personaje • Usar fuentes de información primarias y secundarias

Thank You, M'am *Elements of Literature*, page 86
Gracias, señora de Langston Hughes

Una noche Roger, quien desea comprarse un par de zapatos de ante azul, intenta arrebatarle el bolso a la señora Luella Bates Washington Jones camino a su casa. Roger fracasa en su intento y la señora Jones detiene al muchacho, quien es más débil que ella. La señora Jones lo lleva a rastras a su casa, lo obliga a lavarse la cara, lo alimenta y habla con él acerca de la conducta de ambos. Al final de la historia, le da dinero para comprar los zapatos, lo encamina a la puerta y cierra la puerta en sus narices antes de que él pueda expresar su gratitud y asombro por lo que pasó.

Mother to Son *Elements of Literature*, page 92
De madre a hijo (Conexión) de Langston Hughes

En este drama, una madre habla con su hijo de los problemas de la vida y lo aconseja sobre la actitud que debe adoptar para enfrentarlos. Mediante la metáfora de una escalera, la madre relata a su hijo cómo a pesar de que la subida ha sido difícil y llena de astillas, nunca ha dejado de luchar. También le aconseja nunca mirar atrás ni descansar, sino seguir subiendo igual que ella lo ha hecho a lo largo de su vida.

Teaching Chess, and Life and **Community Service & You**
and **Feeding Frenzy** *Elements of Literature*, page 96
Algunas lecciones sobre el ajedrez y la vida de Carlos Capellan y **El servicio social y tú** de J. Saftner y **¡Sirvan comida para todos!** de Peter Ames Carlin y Don Sider

"Algunas lecciones sobre el ajedrez y la vida" es una historia de la vida real que narra cómo el instructor de ajedrez Jeremy Chiappetta ayuda a un joven habitante de un barrio poblado de criminales.

"El servicio social y tú" fomenta la participación voluntaria de la sociedad en la comunidad y describe varios proyectos del programa de Servicio Social de la Juventud Estadounidense (Youth Service America).

"¡Sirvan comida para todos!" narra los esfuerzos de David Levitt, un adolescente voluntario de Florida que se empeña en crear un programa de distribución de alimentos excedentes en su distrito escolar.

Helen on Eighty-sixth Street *Elements of Literature,* page 104
Helena, la de la calle Ochenta y seis de Wendi Kaufman

Vita, la emotiva y aferrada narradora de esta historia, vive en un departamento en Manhattan con su madre quien trabaja como traductora de literatura clásica. Vita extraña profundamente a su padre, quien las abandonara tres años atrás y le escribe cartas cada noche, aunque nunca las envía. Mientras tanto, en la escuela su clase está organizando una obra de teatro histórica sobre Helena de Troya. Vita anhela interpretar a Helena y envidia a Helen McGuire, quien representará ese papel. Sin embargo, Helen McGuire también envidia a Vita porque estará escondida en el caballo de Troya con Tommy Aldridge. Un buen día, mientras recuerda lo que su madre alguna vez le dijera sobre los sacrificios griegos a la diosa Atenea, Vita quema las cartas que había escrito a su padre a lo largo de tres años mientras recita ciertas frases en griego para pedirle a Atenea tres cosas: el papel de Helena, el regreso de su padre y la partida del novio de su madre, "el viejo Farfel", como ella le decía. Posteriormente, Helen McGuire se enferma y Vita, quien se queda con el papel, piensa que todo se debe a la ceremonia griega. Poco después su madre deja de ver a Farfel, por lo que Vita espera volver a ver a su padre la noche del estreno de la obra. Sin embargo, su madre le recuerda que la gente ya no cree en dioses antiguos. Entonces, en el momento del diálogo cumbre de Helena al final de la obra, Vita improvisa una silenciosa pero poderosa despedida dirigida íntimamente a su padre. Así, Vita descubre que en ocasiones uno simplemente debe aceptar las pérdidas de la vida.

Marigolds *Elements of Literature,* page 118
Caléndulas de Eugenia W. Collier

La narradora de esta historia es Lizabeth, una niña pobre de origen afroamericano. La historia se desarrolla en el estado de Maryland durante la Gran Depresión. Un día, Lizabeth, su hermano y sus amigos se burlan de la señorita Lottie, una anciana que vive con su hijo John Burke, quien está discapacitado mentalmente. La señorita Lottie cultiva un hermoso jardín de parcela de caléndulas en su patio delantero, las cuales contrastan marcadamente con su desvencijada casa. Los niños arrojan piedras al jardín e insultan a la anciana Lottie. Después, Lizabeth padece un conflicto moral interno y empieza a avergonzarse de su comportamiento. Esa noche escucha a sus padres hablando y por primera vez oye a su padre llorar de desesperación por ser incapaz de seguir manteniendo a su familia. La madre consuela al padre, pero Lizabeth no logra conciliar el sueño. Finalmente despierta a su hermano y ambos regresan a la casa de la señorita Lottie. Impulsada por el miedo, la necesidad, la confusión, la ira y la desesperanza, Lizabeth destruye las caléndulas que quedan en un arranque de ira y amargura. Cuando la señorita Lottie sale de su casa, Lizabeth mira la cara de la anciana y por primera vez ve en ella su humanidad. En ese momento, la niña descubre la compasión y aprende a sentir compasión por otros.

Forgive My Guilt *Elements of Literature,* page 128
Perdona mi culpa (Conexión) de Robert P. Tristram Coffin

El narrador del poema relata un evento de su niñez que lo sigue atormentando en la actualidad. En esa ocasión, hirió de un disparo en las alas a dos aves que, incapaces de volar, nadaron hacia el mar y su llamado de dolor se pudo oír durante varios días.

Colección 3

El narrador y la voz • Sintetizar fuentes de infomación

The Interlopers *Elements of Literature,* page 150
Los intrusos de Saki

El odio que existe entre Ulrich von Gradwitz y Georg Znaeym se remonta a
generaciones atrás, y la razón del conflicto es una sección de bosque que
limita con sus propiedades. Una noche Ulrich, quien piensa que Georg es un
cazador furtivo, vigila sus tierras tratando de atraparlo. De pronto, se
encuentran cara a cara en un lugar apartado y oscuro del bosque e intentan
matarse entre ellos, pero antes de poder disparar, un árbol cae y los deja
atrapados contra el suelo. Al principio, cada uno dice que sus hombres
llegarán primero y matarán al otro; pero a medida que pasa el tiempo,
comienzan a darse cuenta de lo tonta que es su lucha. Los hombres hacen las
paces, se juran amistad eterna y juntos comienzan a pedir ayuda. Ulrich se
alegra al ver que unas siluetas se aproximan. Sin embargo, en el sorpresivo
final, Ulrich se da cuenta de que las siluetas no son salvadores, sino lobos.

The Trapper Trapped *Elements of Literature,* page 156
El cazador cazado (Conexión) Tradicional vai, relator, Roger
D. Abrahams

En este cuento popular africano una cabra y un zorro discuten. La cabra,
deseando vengarse, planea una trampa pero al final ella será la víctima. El
cuento termina con una moraleja.

The Necklace *Elements of Literature,* page 159
El collar de Guy de Maupassant

Esta historia, contada en tercera persona y desde un limitado punto de vista, se inicia con el conflicto interno de Mathilde Loisel, una hermosa mujer que está casada con un burócrata poco importante. La mujer desprecia su vida y sueña con tener riqueza y una mejor clase social. Mathilde es invitada a una elegante recepción y le pide prestado un collar de diamantes a una amiga adinerada. Mathilde es la sensación de la fiesta, pero pierde el collar. Los Loisel se ven obligados entonces a pedir prestado una fuerte cantidad de dinero para reponer la joya, y viven en gran pobreza durante diez años para poder pagar la deuda. Al final, la demacrada y disminuída Mathilde se encuentra con la dueña del collar, por casualidad, y le cuenta toda la historia. La gran ironía es que la amiga le confiesa que el collar perdido era una imitación.

The Cask of Amontillado *Elements of Literature,* page 172
El barril de amontillado de Edgar Allan Poe

El noble italiano Montresor es quien cuenta esta historia clásica de terror. Afirma que Fortunato lo ha herido e insultado, y jura vengarse. Montresor se topa con Fortunato durante el festival de invierno, y fingiendo ser su amigo lo invita a probar un poco de amontillado, un raro vino que conserva en un barril dentro de una bóveda subterránea. Cuando ambos hombres están ahí, Montresor encadena a Fortunato y lo empareda vivo. Cincuenta años más tarde, el crimen permanece sin ser descubierto. ¿Se le debe de creer a Montresor, o es un narrador poco confiable? ¿Está mintiendo o sencillamente está loco?

Poe's Final Days *Elements of Literature,* page 183
Los últimos días de Poe de Kenneth Silverman

Este artículo es un extracto de la biografía realizada por Kenneth Silverman que se enfoca en testimonios de contemporáneos de Poe, que hablan acerca de sus últimos días: una fiebre sin tratar, su desaparición durante una semana, confusiones, delirios y muerte repentina. Muchos culparon al alcoholismo de su muerte, aunque por lo menos uno de los doctores de Poe calificó su padecimiento como encefalitis por exposición a la rabia.

Poe's Death Is Rewritten as Case of Rabies, Not Telltale Alcohol *Elements of Literature,* page 183
La muerte de Poe, un caso de rabia, no causada por el alcohol de *The New York Times*

Esta pieza, un artículo periodístico, expone la teoría de un doctor moderno, el Dr. R. Michael Benitez, quien afirma que Poe padeció síntomas de rabia y no del abuso de alcohol. Se apoya en un experto en rabia y en el curador del museo de Poe, quien afirma que el escritor rara vez bebía en sus últimos años.

If Only Poe Had Succeeded When He Said Nevermore to Drink *Elements of Literature,* page 183
Si tan sólo Poe hubiese tenido éxito cuando prometió no volver a tomar de Burton R. Pollin y Robert E. Benedetto

Este artículo es una carta al editor en la que dos profesores se oponen a la teoría del Dr. Benitez. Afirman que las cartas de Poe evidenciaban su abuso del alcohol, y señalan que incluso Benitez admite que Poe no tenía ninguna marca de mordidas, y que los médicos en los tiempos de Poe conocían los síntomas de la rabia y no serían capaces de ignorarlos al hacer su diagnóstico.

Rabies Death Theory *Elements of Literature,* page 183
La teoría de la muerte por rabia de R. Michael Benitez, M.D.

Este último artículo es la respuesta de Benitez a la carta de los dos profesores, y proporciona más estadísticas que apoyan su teoría de muerte por la rabia y no por alcohol.

Colección 4

Comparar los temas • Sintetizar fuentes de infomación

The Sniper *Elements of Literature,* page 211
El francotirador de Liam O'Flaherty

Esta breve historia llena de suspenso ocurre en Dublín, Irlanda, durante la guerra civil de la década de 1920. Con gran detalle y realismo, la historia muestra los horrores de la guerra a través de las acciones de un francotirador republicano que se encuentra en un conflicto de vida o muerte. Desde una azotea, el francotirador se enfrenta a balazos con un enemigo oculto en otra azotea al otro lado de la calle. Aunque en el enfrentamiento el francotirador resulta herido, logra recobrar fuerzas para matar a su enemigo. Al final de la historia se da cuenta de que ha matado a su propio hermano. El sorpresivo e irónico desenlace tiene un mensaje: la inhumanidad de la guerra puede enfrentar hasta a hermanos, con consecuencias trágicas.

Cranes *Elements of Literature,* page 220

Grullas de Hwang Sunwŏn, traducido por Peter H. Lee

Esta conmovedora historia narra una amistad que se pone a prueba por las crueles exigencias de la guerra. Ocurre en una aldea en la frontera entre Corea del Norte y Corea del Sur, durante la guerra civil de Corea en la década de 1950. Casi al final de la guerra, Songsam, un soldado surcoreano, regresa a su pueblo natal y descubre que su amigo de la niñez, Tokchae, ha sido tomado prisionero por ser un líder comunista del Norte. Songsam acepta llevar al prisionero con las autoridades de un pueblo cercano.

A medida que los dos amigos van caminando, Tokchae se niega a mirar a su captor, pero Songsam recuerda muchas de las experiencias que compartieron de niños. Cuando finalmente logra que Tokchae hable, Songsam descubre que Tokchae había decidido no escapar cuando los comunistas invadieron, porque su padre, postrado en cama, dependía de él, y entonces había sido obligado a servir a los comunistas. Songsam también descubre que Tokchae se ha casado con una mujer que ambos conocían y está a punto de convertirse en padre.

Por último, cuando los hombres pasan por un campo lleno de grullas, un recuerdo del pasado finalmente inspira a Songsam a liberar a su prisionero. A través del sutil recuento de los recuerdos de Songsam, y de la conversación, el lector se da cuenta de que tenerle lealtad a un amigo que ha sido una víctima de la guerra, es más importante que tener un estricto apego a una causa.

A Country Divided and Lives in the Crossfire and Internment and Peace Isn't Impossible
Elements of Literature, page 231

Un país dividido de Un chico de Belfast de Patricia McMahon y Vidas en medio del fuego cruzado de Niños de "los problemas" de Laurel Holliday y Internamiento de Margaret McCrory y La paz no es imposible de George J. Mitchell

"Un país dividido" es una historia narrada con neutralidad que explica las causas del conflicto en Irlanda del Norte. El problema comienza en 1170 cuando Enrique II de Inglaterra se declara rey de Irlanda, y continúa con la inmigración de protestantes británicos hacia ese país. Esto provoca la formación de Irlanda del Norte, una guerra civil, y un aumento de violencia en la década de 1970. Finalmente, un cese de fuego hace que se firme un tratado de paz en 1998.

"Vidas en medio del fuego cruzado" describe en detalle los efectos devastadores que la violencia en Irlanda del Norte ha tenido en las vidas de niños y adultos en ambos lados del conflicto.

"Internamiento" es el recuento personal de una mujer que era adolescente en el Belfast de 1971, cuando los británicos suspendieron las garantías legales para los que se sospechaban criminales irlandeses, lo que provocó violentas protestas.

"La paz no es imposible" es un ensayo de 1997 escrito por el exsenador estadounidense George J. Mitchell, en el que se pide que a la minoría violenta de ambos lados del conflicto no se le permita estorbar los deseos de paz de la mayoría.

Liberty *Elements of Literature,* page 245
Libertad de Julia Álvarez

Como el título lo indica, esta es una historia de libertad. La libertad a que la joven narradora se refiere no es un concepto abstracto, sino un pequeño cachorro que su padre, ha llevado a casa como regalo del Cónsul estadounidense. Aunque el escenario de la historia no se conoce, es claro que la familia vive en un país represivo y que el padre está tratando de obtener visas para que la familia pueda emigrar hacia Estados Unidos. La narradora pasa gran parte del tiempo jugando con su amado perro. Un día, Libertad corre detrás de unos arbustos y él y la narradora son detenidos y amenazados por dos hombres con gafas oscuras. Los dejan ir, y ella reporta lo sucedido a sus padres. Poco después, se descubren alambres de vigilancia por toda la casa. Una mañana Mami anuncia que la familia partirá hacia Estados Unidos esa misma tarde y que cada hijo puede empacar un solo juguete. La narradora dice que ella desea llevar a Libertad, pero su madre se niega, por lo que la tía la consuela diciendo que encontrará libertad en Estados Unidos. A medianoche, la familia está lista para ir al aeropuerto, y la narradora se escurre hacia la perrera de Libertad, preocupada por lo que los hombres de las gafas oscuras puedan hacerle cuando la familia se haya ido. La narradora abre la puerta y le dice a Libertad que se vaya, pero el perro no quiere irse, por lo que lo patea hasta que Libertad sale corriendo y desaparece. Poco a poco, la narradora comienza a darse cuenta del tipo de libertad que le espera en Estados Unidos.

Exile *Elements of Literature,* page 255
Exilio de Julia Álvarez

En este poema narrativo, una niña narra la historia de la noche en que su familia se escapó de su país. Posteriormente, cuenta algunas de las experiencias y sentimientos de las primeras semanas de su nueva vida en Estados Unidos. En la tarde que huyeron, la narradora recuerda que su padre les había explicado que iban a la playa. Ella sabía que esto no era cierto, pero sigue la corriente y se imagina que va flotando hacia el aeropuerto. Sabe que corre peligro, pero sigue "nadando". Algunas semanas después de que la familia llegara a Estados Unidos, la narradora y su padre se detienen ante el aparador de una tienda a observar atuendos y maniquíes con ropa de playa. La narradora se imagina que sus caras, reflejadas en el aparador, son las de unos nadadores a punto de echarse un clavado: "ansiosos, temerosos, e inseguros del resultado".

An American Story *Elements of Literature,* page 261
Una historia americana de Anthony Lewis

En este recuento, el periodista Anthony Lewis escribe sobre el escape de la familia Dinh del Vietnam comunista, sus terribles retos y la larga y dura lucha por reunir a la familia completa en Portland, Oregón. Lewis cuenta que recibió un ensayo de Viet Dinh en 1991, describiendo la grave situación de su hermana y su sobrino encerrados en un campo de refugiados en Hong Kong. El ensayo de Viet Dinh fue publicado en la página de tribuna de *The New York Times* y poco después, su hermana y su hijo se reunieron con la familia en Portland. Posteriormente, Lewis describe las carreras de varios miembros de la familia. Hasta ese punto, el artículo de Lewis se basa en hechos, y narra el *quién, qué, cuándo, dónde, por qué* y *cómo* de la historia familiar de los Dinh. En los párrafos finales, Lewis revela por qué escogió hablar acerca de la familia Dinh. Usando a los Dinh como ejemplo, Lewis señala que Estados Unidos se ve enriquecido por los inmigrantes y pide a los estadounidenses seguir aceptándolos. En su último párrafo apoya su opinión en hechos, al revelar que el refugiado vietnamita, de entonces 10 años de edad, es ahora un graduado de la Facultad de Leyes de Harvard, y que pronto estará trabajando para la juez Sandra Day O'Connor de la Corte Suprema de Justicia de Estados Unidos.

Ex-Refugee Is Nominated for Justice Post
Elements of Literature, page 265

Un ex-refugiado está nominado para puesto judicial
(Conexión) de Dena Bunis y Anh Do

Ocho años después de que Anthony Lewis escribiera su artículo, el periódico publicó una nota acerca de la nominación de Viet Dinh como Subprocurador General de Estados Unidos. El artículo comienza describiendo la emotiva respuesta de Viet Dinh al escuchar al senador estadounidense Pete Domenici narrar la conmovedora historia de la familia, incluyendo algunos detalles nuevos, como los doce días que pasaron sin comida ni agua, y cómo la madre destruyó su pequeño bote con un hacha. Dinh señala que quiere estar en el servicio público debido a que las instituciones gubernamentales protegen la promesa que Estados Unidos ofrece de libertad y oportunidad.

Colección 5

La ironía y la ambigüedad • Evaluar un argumento

The Gift of the Magi *Elements of Literature,* page 286
El regalo de los Reyes Magos de O. Henry

Este clásico de O. Henry, famoso por su característico final sorpresivo, es una historia de amor incondicional entre un matrimonio. En la época de Navidad, Della vende su largo y hermoso cabello para comprar una cadena de platino para el preciado reloj de bolsillo de su esposo. Irónicamente, él ha vendido su reloj para comprar un caro juego de peinetas para el cabello de su esposa. El amor que ambos se tienen los ha hecho sacrificar sus posesiones más preciadas.

Los Ancianos *Elements of Literature,* page 294
Los Ancianos (Conexión) de Pat Mora

El poema de Pat Mora describe a una pareja de ancianos que caminan por una plaza llena de turistas. El narrador contrasta a la pareja con el resto de los turistas para resaltar el duradero amor de la pareja.

The Lady, or the Tiger? *Elements of Literature,* page 297
¿La dama o el tigre? de Frank R. Stockton

En este cuento de hadas, un rey alecciona a sus súbditos a través de juicios públicos cuyos veredictos son determinados al azar. El acusado debe escoger abrir una de dos puertas idénticas. Detrás de una de las puertas está una recompensa: una hermosa mujer a la que puede desposar, y tras la otra hay un castigo: un tigre feroz. Cuando el amante de la princesa es descubierto y encarcelado, el juicio toma gran importancia para el rey. Las esperanzas de vida del joven descansan con la princesa, quién le dirá anticipadamente qué hay detrás de cada puerta. Durante el juicio, la princesa señala en secreto qué puerta debe escoger. El autor añade algo de ambigüedad a la acción cuando revela que la rival de la princesa está detrás de "la puerta de la inocencia". Si la princesa salva a su amante, él tendrá que casarse con su rival. Si no lo hace, ella debe observar como el tigre mata a su amado. El autor cierra con un final ambiguo. ¿Qué señaló la princesa: a la dama o al tigre?

A Defense of the Jury System *Elements of Literature,* page 308
Una defensa para el sistema de jurados de Thomas M. Ross, Esq.

Como el título lo indica, este ensayo persuasivo defiende el sistema de jurados. Primero, el autor, un subprocurador de distrito, señala algunas de las críticas típicas que dicen que los jurados basan sus decisiones en las emociones en vez del razonamiento, y que no se puede esperar que los jurados comprendan asuntos complejos. Posteriormente, compara a las personas que critican a los jurados con aquellas personas que critican a los votantes porque pueden ser irracionales o mal informados. El autor reconoce que estos sistemas tienen imperfecciones claras, pero a su vez declara que no sería capaz de abolir ninguno de ellos. El autor reconoce que el sistema de jurados es un sistema falible, pero a su vez afirma que la mayoría de las críticas son injustificadas. Como evidencia, señala encuestas de jurados y jueces y muestra que la mayoría preferiría ser juzgado por un grupo de jueces y no por un solo juez. El autor también menciona que confiar únicamente en el veredicto de un juez no garantiza que se haya hecho justicia puesto que los jueces, por su naturaleza humana, pueden cometer errores. El autor señala que los jurados reflejan a la comunidad, y esto ayuda a garantizar que el veredicto no estará basado en las tendencias de una persona o en una falta de entendimiento. Finalmente, el autor concluye que aunque el sistema de jurados tiene problemas, es el mejor sistema de justicia de una democracia puesto que garantiza que las perspectivas de todos los ciudadanos serán respetadas.

The Road Not Taken *Elements of Literature,* page 314
El camino menos recorrido de Robert Frost

Cuando el narrador encuentra un camino que se divide en dos al entrar a un bosque, está indeciso acerca del camino que ha de tomar, puesto que ambos parecen ser igual de buenos. Después de considerarlo mucho, el narrador selecciona el camino menos recorrido. Posteriormente, cuando el narrador reflexiona acerca de su decisión, se da cuenta de que algún día su elección habrá hecho una diferencia tremenda en su vida.

Crossing Paths *Elements of Literature,* page 317

Caminos que se cruzan (Conexión) de Robert Frost

En esta carta, Frost relata un incidente que le ocurrió durante un paseo vespertino. Después de toparse con un extraño en un cruce de caminos rurales, el poeta imagina que ha visto su propia imagen o un doble de sí mismo.

Colección 6

El simbolismo y la alegoría • Sintetizar fuentes de infomación

The Scarlet Ibis *Elements of Literature,* page 342
El ibis escarlata de James Hurst

El narrador cuenta el siguiente relato sobre su hermano Doodle: nace discapacitado físicamente. Aunque se esperaba que el bebé muriera, sobrevive. El narrador debe cuidar a su hermano, y lo lleva a todas partes en un cochecito eléctrico. En ocasiones el narrador piensa que su hermano es una carga, pero después de muchos esfuerzos logra enseñar a Doodle a caminar. Orgulloso de su éxito, también le enseña a correr, nadar, trepar árboles y pelear. Durante un episodio simbólico que deja entrever el trágico final de la historia, Doodle entierra a un ave muerta, el brillante ibis escarlata que da título a la historia. Ese mismo día, el esfuerzo físico del arduo entrenamiento deja a Doodle gravemente debilitado. En la escena culminante, Doodle se derrumba y muere mientras corre tratando de alcanzar a su hermano, quien lo ha abandonado en medio de una tormenta eléctrica. El narrador, sintiéndose culpable por la muerte de su hermano, se da cuenta demasiado tarde de sus profundos sentimientos hacia él.

If There Be Sorrow *Elements of Literature,* page 355
Si hay pesar (Conexión) de Mari Evans

Este poema corto y agridulce le recuerda al lector la importancia de mostrar el amor que uno tiene.

The Grandfather *Elements of Literature,* page 358
El abuelo de Gary Soto

Soto recuerda haber crecido junto con su abuelo, un inmigrante mexicano
que se establece en Fresno, California, y quien trabajó treinta años en una
planta empacadora de pasas. El abuelo tiene una gran pasión por cultivar
árboles frutales: limones, naranjos y aguacates. Cada día, después del trabajo,
el abuelo se sienta en su patio y cuida de ellos. Para el abuelo, los árboles
simbolizan dinero y a medida que cosecha la fruta, saborea los dólares que
está ahorrándose en vez de comprar fruta en las tiendas. Irónicamente, su
árbol favorito es el único que no le ahorra dinero. El árbol de aguacate crece
lentamente y casi al parejo que Soto, dando su primer fruto comestible
después de quince años. Soto y su abuelo comparten este fruto. Finalmente,
el árbol rinde buenos frutos después de veinte años. Cuando el abuelo
muere, el árbol es alto y fuerte, y simboliza el crecimiento de la familia. Tal
vez sus ramas sean sacudidas por el viento, pero su tronco fuerte, como el
abuelo, está sólidamente afianzado al suelo.

The Golden Kite, the Silver Wind *Elements of Literature,* page 364
El papalote dorado y el viento color plata de Ray Bradbury

En esta alegoría de la guerra fría, un antiguo gobernante Chino, Mandarín, se ve angustiado al conocer los eventos que ocurren en un pueblo cercano. Un gobernante rival ha cambiado la forma de los muros de la ciudad y les ha dado forma de cerdo. Mandarín se encuentra molesto porque las paredes de su propio pueblo tienen la forma de una naranja. Como los cerdos pueden comer naranjas, este cambio representa una profecía malévola. Siguiendo los consejos de su hija, Mandarín ordena que las paredes de su pueblo sean reconstruidas con la forma de un mazo, que puede golpear al cerdo. En lugar de resolver el problema, esto origina una "carrera de paredes" en la que cada pueblo trata de vencer al otro. El ciclo continúa hasta que ambos pueblos se encuentran desesperadamente debilitados porque los habitantes están tan ocupados construyendo paredes que no tienen tiempo para hacer actividades productivas. Finalmente, su hija le dice al enfermo Mandarín que debe reunirse con su rival para tratar de dar fin a este círculo vicioso, y los lleva a un campo en el que hay niños volando papalotes. La hija señala que los papalotes y el viento cooperan entre sí y complementan su mutua belleza. Mandarín reconstruye una vez más las paredes de su pueblo en forma de un papalote y su rival as su vez reconstruye las suyas con forma de viento. Finalmente reina la paz y la prosperidad regresa a ambos pueblos.

Weapons of the Spirit *Elements of Literature,* page 374

Las armas del espíritu de una entrevista con George Sylvester Viereck de Albert Einstein

En el primero de cuatro ensayos de Albert Einstein, una entrevista, Einstein insta a las personas a canalizar su energía y su dinero hacia las causas de paz y no hacia las causas de guerra.

Letter to President Roosevelt *Elements of Literature,* page 374

Carta al presidente Roosevelt de Albert Einstein

En el segundo ensayo de Albert Einstein, una carta fechada en 1939, Einstein le advierte al presidente Franklin D. Roosevelt que la Alemania nazi está tratando de desarrollar bombas atómicas y pide al gobierno estadounidense que ayude a los científicos a crear armas similares.

On the Abolition of the Threat of War
Elements of Literature, page 374

Acerca de la abolición de la amenaza de guerra de Albert Einstein

En su tercer escrito, un ensayo escrito en 1952, Einstein admite que la carta para Roosevelt fue un error y afirma que la preparación para la guerra hace la guerra inevitable.

The Arms Race *Elements of Literature,* page 374

La carrera de las armas de Albert Einstein

En el último de los cuatro ensayos, Einstein pide a los gobiernos que renuncien a la violencia y que se dediquen a trabajar en la confianza mutua.

Colección 7

La poesía

A Blessing *Elements of Literature,* page 404
Una bendición de James Wright

Al anochecer, el narrador y un compañero se estacionan a la orilla de una carretera de Minnesota, y observan cómo dos caballitos pastan alegremente en un campo. Conmovido por la gracia, alegría y amor que cada animal muestra por el otro, el narrador experimenta un momento de transformación cuando uno de los caballitos se le acerca cariñosamente.

Woman Work *Elements of Literature,* page 408
Trabajo de mujeres de Maya Angelou

En "Trabajo de mujeres", la narradora enumera muchas de sus fastidiosas tareas. Sus días están tan dominados por trabajos incesantes que ella no puede decir que su vida sea propia. Para tener consuelo, la narradora observa la naturaleza, y busca en el sol, la lluvia y otros elementos algo de tranquilidad para su dolor.

Daily *Elements of Literature,* page 408
Diariamente de Naomi Shihab Nye

En "Diariamente", la narradora cataloga todas sus tareas domésticas. La repetición es un elemento clave de la estructura y contenido del poema, que en lugar de resultar tedioso es bastante trascendente. El tema: de que las tareas domésticas conectan a una persona con el mundo, está contenido en una metáfora final.

in Just- *Elements of Literature,* page 413
justo en de E. E. Cummings

La primavera ha llegado y los niños corren afuera para disfrutar la naturaleza. Cummings captura el entusiasmo y energía de los niños en el ritmo de su poema, a veces juntando y a veces espaciando palabras. Con el espíritu juguetón de la niñez, el autor crea palabras compuestas que forman imágenes frescas de escenas familiares. El conjunto de emociones juveniles, aderezado con un clima cálido, es un verdadero milagro de primavera, aunque quizá haya un tono un poco melancólico que inicia con el silbido de un vendedor de globos, cuyo sonido se repite al comienzo, en la mitad y al final del poema.

Eyeglasses for the Mind *Elements of Literature,* page 415
Anteojos para la mente (Conexión) de Stephen King

Stephen King relata una anécdota acerca de una puerta automática que falla, y cuenta cómo este incidente le dio la idea para crear una historia. El autor concluye diciendo que lo que hace a los escritores y a los artistas ser singulares es su habilidad para conservar una perspectiva infantil.

Haiku *Elements of Literature,* page 418
Haiku de Miura Chora, Chiyo, Matsuo Bashō, Kobayashi Issa

Estos cuatro *haiku* presentan imágenes de la naturaleza y mensajes ambiguos que son típicos del género. El poema de Chora expresa la reacción del narrador ante un sapo que interrumpe su trabajo. Chiyo utiliza la imagen de una flor que se enreda para dar una idea de los lazos que pueden establecerse con los vecinos. En el poema de Bashō, una rana que salta dentro de una charca transforma el silencio en sonido. Issa ve el mundo enorme reflejado en los ojos miniatura de una libélula.

Once by the Pacific *Elements of Literature,* page 422
Una vez cerca del Pacífico de Robert Frost

En el soneto inglés de Robert Frost titulado "Una vez cerca del Pacífico", el narrador describe el increíble poder del océano cuando las olas se estrellan contra la costa. La fuerza de las olas, y la implicación de una tormenta que se aproxima, hacen al narrador pensar en el fin del mundo. En una alusión bíblica a las palabras de Dios durante la creación, "hágase la luz", el narrador advierte que el mundo podría terminar con una orden de Dios: "acábese la luz".

Country Scene *Elements of Literature,* page 424
Escena rural de Hô Xuân Hu'o'ng, traducido por John Balaban

En el poema lírico "Escena rural", la poetisa vietnamita Hô Xuân Hu'o'ng describe el río de una zona rural. El repicar de una campana que se va desvaneciendo le recuerda a la narradora la falta de permanencia del amor, y se lamenta diciendo que "sólo la poesía permanece".

Tiburón *Elements of Literature,* page 430
Tiburón de Martín Espada

Un largo automóvil rojo está detenido en la calle, con el capó levantado y el radio tocando muy fuerte. El narrador compara el automóvil con un tiburón, y su conductor con un pescador lo suficientemente afortunado como para haber atrapado a esta bestia.

Folding Won Tons In *Elements of Literature,* page 432
Haciendo won tons de Abraham Chang

El narrador hace won tons por primera vez, recordando la técnica de su madre. Varias imágenes y un lenguaje figurativo se utilizan para describir cada paso del proceso. Las cucharadas de relleno son "del color del sol gordo de octubre", y los won tons son comparados un par de veces de manera metafórica con flores. Aunque el narrador admite que sus won tons no son perfectos, su logro le provoca orgullo. Al final del poema, el narrador tiene que decidir cuántos won tons quiere guardar para comérselos después.

On "Folding Won Tons In" *Elements of Literature,* page 434
Acerca de "Haciendo won tons" (Conexión) de Abraham Chang

Chang reflexiona sobre la época en la que escribió "Haciendo won tons". Un día prepara un plato de won tons basándose en sus recuerdos de cómo los hacía su madre. Los resultados no son perfectos, y sin embargo le satisfacen porque representan un esfuerzo por incorporar el pasado a su nueva vida independiente.

"Hope" is the thing with feathers *Elements of Literature,* page 435
"Esperanza" es la cosa con plumas de Emily Dickinson

En la metáfora que se extiende a lo largo de las tres estrofas del poema, Dickinson asemeja la esperanza con un ave cuyo canto nunca termina. Ambos son frágiles, pero logran sobrevivir en las condiciones más difíciles, y acogen a quienes escuchan su canto. También, al igual que un ave que trina, la esperanza da libremente y no pide nada a cambio.

Internment *Elements of Literature,* page 436
Internamiento de Juliet S. Kono

El poema se centra en la reubicación en campos de internamiento de los americanos de origen japonés que estaban en Estados Unidos durante la Segunda Guerra Mundial, y se enfoca en una mujer llevada de California a un campo ubicado en Cristal City, Texas. La elección de palabras como "marcaje" y "pastoreo" nos permiten asociar su deshumanizante experiencia con el manejo de ganado. A pesar de su indignación y tristeza, la mujer no puede evitar darse cuenta de la sobria belleza del paisaje tejano.

Fog and Fire and Ice *Elements of Literature,* page 440
La niebla de Carl Sandburg y Fuego y hielo de Robert Frost

El poema a versos libres de Carl Sandburg recrea la apariencia y el movimiento de la niebla sobre un puerto y una ciudad. En una extensa metáfora, el poeta implícitamente compara la niebla con un gato. Como la niebla que amortigua el sonido, el tono del poema es tranquilo.

En "Fuego y hielo", Robert Frost utiliza una metáfora implícita, equiparando el deseo con el fuego, y el odio con el hielo. De paso le informa al lector que él ha experimentado ambas emociones destructivas, y señala que ellas pueden ocasionar el fin del mundo.

The Seven Ages of Man *Elements of Literature,* page 444
Las siete edades del hombre de William Shakespeare

En este poema no rimado, Shakespeare compara el mundo con un escenario, a las personas con actores, y sus vidas como los papeles de una obra de teatro. Shakespeare divide la vida de los hombres en siete actos o etapas: infante, niño, amante, soldado, juez, viejo tonto, y segunda infancia. La extensa metáfora contiene el tema del poema: la vida sigue un patrón fijo.

Women *Elements of Literature,* page 447
Mujeres de Alice Walker

Este poema describe, en un tono de admiración, el amor orgulloso de las madres que luchan por conseguir una vida mejor para sus hijos. Las imágenes del poema comparan, de manera indirecta, la lucha de las madres a favor de la educación de sus hijos con una operación militar.

Boy at the Window *Elements of Literature,* page 450
Un niño en la ventana de Richard Wilbur

Al anochecer, un niño pequeño llora por el solitario muñeco de nieve que
hay afuera de su ventana. Una tormenta se aproxima, y el niño teme por lo
que pueda pasarle al muñeco en medio del viento y el frío. El poema hace
alusión a la caída de Adán, y a través de los ojos del niño, hace una
semejanza con un expulsado del paraíso, que es la casa cálida.

  En el muñeco de nieve están imbuídas cualidades humanas. El
muñeco está cómodo en el frío, y sabe que en el interior de la casa moriría.
Sin embargo, conmovido por el miedo del niño, el muñeco derrama una
lágrima al saber que éste está sufriendo.

I Wandered Lonely as a Cloud *Elements of Literature,* page 457
Vagué a solas como una nube de William Wordsworth

El poema inicia con un símil entre la soledad del narrador con una nube
movida por el viento. Esta soledad se rompe cuando el narrador se topa con
un "montón" de flores de narciso. A través de la personificación, las flores
adquieren una fuerza vital y se convierten en una "compañía jocunda" para
el narrador. En la estrofa final cuenta cómo después, en su imaginación,
vuelve a experimentar la gloria de los narcisos.

I Never Saw Daffodils So Beautiful
Elements of Literature, page 459
Nunca antes vi narcisos tan hermosos (Conexión) de
Dorothy Wordsworth

La página del diario de Dorothy Wordsworth está fechada dos años antes de
que su hermano William Wordsworth escribiese un poema acerca de la
misma experiencia. La autora describe en detalle una caminata primaveral
por el Lake District. El poeta puede haber utilizado el diario de su hermana
para ejercitar su memoria cuando escribió "Vagué a solas como una nube".

The Courage That My Mother Had
Elements of Literature, page 461
La valentía que tuvo mi madre de Edna St. Vincent Millay

La narradora llora por la pérdida de su madre y por su valentía, que fue
enterrada con ella. Dice que su madre le dejó un prendedor que atesora,
pero que con gusto daría la joya a cambio de tener su coraje, el cual la madre
ya no necesita, pero ella sí.

Ballad of Birmingham *Elements of Literature,* page 463
Balada de Birmingham de Dudley Randall

Esta balada literaria de Dudley Randall describe el horrible bombardeo de
1963 sobre la iglesia bautista de la Calle Dieciséis en Birmingham, Alabama,
que provocó la muerte de cuatro niños. Utilizando un patrón rítmico simple
de tipo *abcb*, la balada tiene un tono de tristeza que inicia con una irónica
conversación entre una madre y su hija. La madre incita a su hija a ir a la
iglesia, creyendo que es el lugar más seguro en donde puede estar, en vez de
andar por "las calles de Birmingham", frase que se repite varias veces, las
cuales están llenas de protestantes. Las dos estrofas finales relatan los
esfuerzos desesperados de la madre por encontrar a su hija entre los
escombros de la iglesia.

The History Behind the Ballad *Elements of Literature,* page 466
La historia detrás de la balada (Conexión) de Taylor Branch

"La historia detrás de la balada" proporciona un recuento real de los hechos
del 15 de septiembre de 1963, el bombardeo que inspiró el poema de Dudley
Randall. El autor describe las actividades de las cuatro niñas que asistían al
Día de la Juventud de la iglesia bautista de la Calle Dieciséis antes del
bombardeo, el momento terrible en que éste sucedió, y la tristeza que hubo
después, cuando Maxine McNair buscaba a su hija.

The Gift *Elements of Literature,* page 468
El regalo de Li-Young Lee

Cuando el narrador quita una astilla del pulgar de su esposa, recuerda un incidente similar de su niñez, cuando su padre le sacó una astilla de la palma de la mano. En vez del dolor, el narrador recuerda la ternura de su padre. El amor transforma el hecho y el narrador imagina que la astilla es un regalo que su padre puso en la palma de su mano. Este recuerdo puede ser la explicación de la ternura que el narrador muestra cuando realiza una operación similar en la mano de su esposa.

Legal Alien/Extranjera legal *Elements of Literature,* page 472
Extranjera legal/Legal Alien de Pat Mora

El tono de la narradora muestra la ansiedad y la incomodidad que sienten las personas bilingües y biculturales que viven en Estados Unidos. Aunque ella funciona de manera efectiva en contextos estadounidenses y mexicanos, no se siente en casa en ninguno de éstos. Deambula entre dos mundos que son opuestos y que sospechan el uno del otro, y ambos la ven a ella, por lo menos hasta cierto grado, con prejuicio. Las dos versiones del poema, una en inglés y otra en español, refuerzan el contexto bilingüe de la narradora.

The Base Stealer *Elements of Literature,* page 475
Ladrón de bases de Robert Francis

En "Ladrón de bases" un jugador de béisbol se prepara para tratar de robarse una base. La tensión es evidente a medida que el jugador se mueve entre las dos bases, equilibrado en ambas direcciones. Sus movimientos son comparados con los de un equilibrista en la cuerda floja: "igual de ambos lados". El poeta utiliza la aliteración para aumentar el suspenso del momento. La tensa expectación del público se ilustra mediante la repetición de sus pensamientos a medida que esperan a que ocurra la jugada.

American Hero *Elements of Literature,* page 475
Héroe americano de Essex Hemphill

"Héroe americano" inicia con una vívida descripción del gran desempeño de un jugador de basquetbol. El ritmo ágil del juego, y su inmediatez, se ilustran por medio de la metáfora, la aliteración, la acumulación de detalles sensoriales y onomatopeyas. El jugador es motivado por un público que grita animadamente, pero luego se desinfla rápidamente cuando piensa en multitudes menos amistosas. Se da cuenta de que su presencia no es bienvenida en algunos barrios, en donde es juzgado por su raza y no por sus capacidades.

Colección 8

Evaluar el estilo • Evaluar los argumentos: pros y contras

A Sound of Thunder *Elements of Literature,* page 498
La feria de las tinieblas de Ray Bradbury

Esta historia de ciencia-ficción comienza en el año 2055, el día siguiente de una elección en la que el demócrata Keith derrota al fascista Deutscher. Viajar en el tiempo es posible, y Eckels, un rico cazador, viaja en un safari prehistórico para cazar un dinosaurio. Mientras Eckels y su grupo viajan en el tiempo, Travis, el guía, advierte a todos los cazadores que no deben apartarse de un cierto camino de antigravedad preestablecido, ya que el daño más pequeño al ambiente podría tener serias consecuencias en el futuro. Incluso, el tiranosaurio que seleccionan para matar fue escogido porque de cualquier forma habría muerto unos minutos después. Cuando llega el momento de disparar, a Eckels le entra el pánico y corre alejándose del camino, haciendo enfurecer a Travis. Cuando el grupo regresa al año 2055, Eckels percibe pequeños cambios a su alrededor, y después descubre una mariposa muerta en la suela de su zapato. Eckels se entera que Deutscher ha derrotado a Keith, y ahí se da cuenta de la magnitud de sus acciones, con las que ha cambiado el curso de la historia de su país. El clímax de la historia ocurre cuando Travis le dispara a Eckels.

from **Jurassic Park** *Elements of Literature,* page 511
de **Parque Jurásico (Conexión)** de Michael Crichton

La idea de gente contemporánea que se enfrentan a un pasado prehistórico ha servido como trampolín imaginativo para muchos escritores. En este extracto de *Parque Jurásico*, Michael Crichton muestra lo terrorífico que podría ser este enfrentamiento.

Rising Tides and An Arctic Floe of Climate Questions

Elements of Literature, page 516

Mareas altas de Bob Herbert y Un témpano de hielo sobre preguntas climáticas de Robert Cooke

Estos dos artículos exponen los riesgos que representa el calentamiento global. En "Mareas altas", Bob Herbert hace un emotivo llamado a los lectores para que se den cuenta que el calentamiento es una realidad actual y no una posibilidad futura. Apoyándose en razones y evidencias, Herbert describe el surgimiento de fenómenos climáticos recientes, tales como el deshielo en la Antártida, y el derretimiento de la nieve de la cima del monte Kilimanjaro. Herbert también incluye opiniones de un equipo internacional que apoya su premisa principal: que los efectos del calentamiento mundial serán más catastróficos para los países en desarrollo que para los países industriales que lo han provocado, y por ello Herbert argumenta que los estadounidenses tienen una responsabilidad especial en atacar este asunto.

El artículo de Robert Cooke, "Un témpano de hielo sobre preguntas climáticas", toma una postura menos alarmista, y argumenta que aún es demasiado pronto como para alarmarse. Cooke toca el tema del deshielo de las capas polares, y aunque reconoce que hay una tendencia hacia el calentamiento a corto plazo, dice que los procesos climáticos son increíblemente complejos. Sostiene que una fluctuación climática a corto plazo no es igual a una variación a largo plazo, y utiliza argumentos de expertos para señalar que existen numerosas fuerzas que contribuyen a las cambiantes condiciones climáticas polares.

To Da-duh, in Memoriam *Elements of Literature,* page 525
Para Da-duh, in memoriam de Paule Marshall

En esta corta historia, Paule Marshall utiliza un estilo lírico y los giros de lenguaje del Barbados ancestral para examinar conflictos temáticos entre los jóvenes y los ancianos, entre las ciudades y el campo, y entre los colonizadores y los colonizados. La narradora de la historia, de nueve años de edad, viaja de la ciudad de Nueva York a Barbados con su mamá y su hermana mayor para visitar a su abuela Da-duh. En su visita, la niña y Da-duh desarrollan el ritual de hacer caminatas por las tierras de la abuela. Da-duh orgullosamente señala árboles frutales y cañas de azúcar y exige a su nieta que admita que ese tipo de cosas no existe en Nueva York. A cambio de esto, la narradora cautiva y espanta a Da-duh con sus descripciones acerca de la vida en una gran ciudad. Un día, la narradora describe el edificio Empire State, un edificio más alto que las colinas que se ven en el campo. Enterarse de esto parece derrotar a Da-duh, quien opta por languidecer en un sillón. Pronto, las caminatas se vuelven silenciosas y vacías. Poco después de que la narradora regresa a Nueva York, Da-duh muere durante un levantamiento de trabajadores de Barbados en contra de los británicos.

How to Eat a Guava *Elements of Literature,* page 541
Cómo se come una guayaba de Cuando era puertorriqueña de Esmeralda Santiago

La autora se mudó de Puerto Rico a Estados Unidos a la edad de trece años. En esta historia, describe su respuesta emocional, ya como adulto, cuando se encuentra un anaquel de guayabas en un supermercado estadounidense. Utilizando imágenes vívidas, la autora captura los colores, olores, sabores y texturas que asocia con estas frutas cultivadas en el hogar de su niñez en Puerto Rico. Al final, sin embargo, ella decide no comprar guayabas, sino que elige los "predecibles y agridulces" placeres de las manzanas y las peras, las frutas norteamericanas de su madurez. Este ensayo es un recuento agridulce de la identidad dividida de alguien que ha vivido en dos mundos muy distintos.

The Tropics in New York *Elements of Literature,* page 545
Los trópicos en Nueva York (Conexión) de Claude McKay

Al igual que el ensayo de Santiago, este poema describe la experiencia de un inmigrante de los trópicos, cuando ve un anaquel de frutas tropicales. En la primera estrofa del poema, el narrador enumera las frutas que observa. En la segunda, describe el paisaje de su hogar natal, que las frutas le traen a la mente. En la última estrofa, el autor describe la añoranza y la nostalgia que estos recuerdos le causan, y el hecho de que se aleja del estante llorando.

Colección 9

El enfoque biográfico e histórico • Usar fuentes de información primarias y secundarias

American History *Elements of Literature,* page 564
Historia de Estados Unidos de Judith Ortiz Cofer

Elena, una niña puertorriqueña de catorce años, narra esta historia en primera persona. Ella vive con su familia en un edificio de departamentos en Paterson, Nueva Jersey, cuando se enamora de un chico rubio llamado Eugene, que vive en la casa de al lado. El día del asesinato del presidente John F. Kennedy, la madre de Elena quiere guardar luto, pero la niña insiste en ir a la casa de su vecino para estudiar para un examen de historia de Estados Unidos. Pero la madre de Eugene rechaza a Elena, y dice que no quiere que su hijo se mezcle con la gente del barrio. Más tarde el mismo día, Elena trata de expresar sus sentimientos por el presidente asesinado, pero sus lágrimas son de dolor por sí misma y por su amistad perdida. El cuento termina sin que se resuelva el conflicto entre los sentimientos personales de Elena y lo que piensa que debería sentir sobre el asesinato. Elena descubre que los prejuicios y el dolor personal no son cosas que se suspenden, ni siquiera cuando la nación parece unida ante una gran pérdida.

Volar *Elements of Literature,* page 573
Volar (Conexión) de Judith Ortiz Cofer

En este ensayo personal, Judith Ortiz Cofer habla de sí misma a la edad de doce años, en un momento en el que su pasión por las revistas de historietas le provocó un sueño recurrente en el que ella era Superchica.

A Warm Clear Day in Dallas and **Address to Congress, November 27, 1963** *Elements of Literature,* page 578

Un día cálido y despejado en Dallas tomado de **John F. Kennedy** de Marta Randall y **Discurso ante el Congreso, 27 de noviembre 1963** de Lyndon B. Johnson

Estas tres selecciones tratan sobre la muerte del presidente John F. Kennedy en noviembre de 1963. "Un día cálido y despejado en Dallas", de Marta Randall, es una narración de un libro de historia (una fuente de información secundaria) que describe los eventos que sucedieron el día del asesinato. Contiene también un resumen del período presidencial truncado de Kennedy, y usa citas de políticos y académicos para explicar el significado del trágico acontecimiento.

"Discurso ante el Congreso" es un fragmento del discurso (una fuente de información primaria) pronunciado por el presidente Lyndon B. Johnson cinco días después de la muerte de Kennedy. En el discurso, el presidente Johnson pide al Congreso avanzar con el proyecto de ley de derechos civiles propuesto por Kennedy, como una forma de honrar al presidente asesinado. Johnson expresa su determinación para llevar a cabo los objetivos de Kennedy, y pide a los estadounidenses responder a la tragedia dejando aparte el odio y la violencia.

Students React to President Kennedy's Death
Elements of Literature, page 578

Los estudiantes responden a la muerte del presidente Kennedy tomado de **Los niños y la muerte de un presidente**

"Los estudiantes responden a la muerte del presidente Kennedy" consiste en ensayos escritos por estudiantes un par de meses después del asesinato. Dos estudiantes expresan los pensamientos, el dolor y el miedo que experimentaron en reacción a la tragedia nacional.

Beware of the Dog *Elements of Literature,* page 590
Cuidado con el perro de Roald Dahl

El contexto histórico de este emocionante relato es muy importante. Es la
Segunda Guerra Mundial, cuando Alemania ocupaba casi todos los países de
Europa, entre ellos Francia. La trama gira en torno a las experiencias de un
piloto británico que ha sido alcanzado por el fuego enemigo mientras
bombardeaba Alemania. Al inicio de la historia, el piloto intenta regresar a
su base en Inglaterra, pero está sangrando profusamente de una herida en la
pierna. Cuando se percata de que pronto perderá el sentido, se tira del avión
sin ninguna idea de dónde va a ir a dar. Cuando vuelve en sí, está en un
hospital. La enfermera le dice que está en Brighton, un pueblo en la costa
inglesa. Pero varios detalles hacen al piloto sospechar sobre la veracidad de
esta información. A la mañana siguiente, se arrastra hasta la ventana, desde
donde alcanza a ver un letrero que dice "Garde au chien". Se da cuenta de
que está en la Francia ocupada, y que la gente del hospital son seguramente
oficiales de inteligencia. Al final del relato, el piloto da sólo su nombre,
rango y número para no traicionar a su país proporcionando información al
enemigo.

Wounded and Trapped *Elements of Literature,* page 605
Herido y atrapado (Conexión) de Ernie Pyle

El artículo comienza cuando Ernie Pyle y otros corren a ver un avión
británico derribado y encuentran al piloto, que lleva ocho días atrapado en
la cabina, con una pierna atorada bajo la palanca del timón y la espalda
quemada. A pesar de la terrible situación en la que se encuentra, el piloto se
comporta racionalmente y muestra buen ánimo. Mientras los rescatistas
trabajan para liberarlo, poco a poco se enteran de cómo el piloto fue
derribado, y cómo quedó ahí, en tierra de nadie, mientras la guerra
continuaba a su alrededor.

Colección 10

La épica y el mito • Evaluar un argumento

from the **Odyssey** *Elements of Literature,* page 649
de **La Odisea** de Homero

La Odisea se puede dividir en cuatro secciones principales: cantos 1 a 4
(el viaje de Telémaco en busca de su padre); cantos 5 a 8 (la partida de
Ulises de la isla de Calipso y su llegada a Feacia); cantos 9 a 12 (un recuerdo
en el que Ulises le cuenta a los Feacianos sus aventuras); y cantos 13 a 24
(el regreso de Ulises a Itaca, su lucha contra los pretendientes de su esposa,
Penélope, y su reunión con ella, con Telémaco y con su padre, Laertes).

Tell the Story from the **Odyssey, Book 1**
Elements of Literature, page 651
Cuenta la historia de **La Odisea, canto 1** de Homero,
traducido por Robert Fitzgerald

Homero invoca a la Musa, y le pide que le ayude a contar la historia de las
aventuras de Ulises. En su historia, Homero cuenta las travesías y el valor de
Ulises, así como su lucha por regresar sano y salvo a su hogar junto con sus
marineros. Nos recuerda que el resto de la tripulación del barco murió
debido a su propia imprudencia. Homero le pide a la Musa comenzar la
historia a partir del punto en el que los otros guerreros griegos han
regresado de la batalla, pero Ulises todavía está anhelando regresar a su
hogar con su esposa. Ulises ha sido capturado por Calipso, quien lo quiere
con ella. Homero anticipa los obstáculos y peligros que se avecinan para
Ulises, a pesar de la simpatía que recibe de todos los dioses, excepto de
Poseidón.

Calypso, the Sweet Nymph from the Odyssey, Book 5
Elements of Literature, page 652
Calipso, la dulce ninfa de La Odisea, canto 5 de Homero, traducido por Robert Fitzgerald

Ulises anhela escapar de su cautiverio en la isla de Calipso para regresar a casa. Nuestro primer vistazo al héroe nos lo muestra llorando, viendo hacia el horizonte del mar (ll. 71–74). Para complacer a Atenea, Zeus envía a Hermes para que ordene a Calipso liberar a Ulises. La diosa accede renuente. Ulises construye una balsa y parte, pero Poseidón causa una tormenta y destruye la balsa. Ulises llega a la isla de Esqueria, en la que se queda dormido sobre un montón de hojas. (Hay que explicar a los estudiantes que este canto de *La Odisea* está dividido en dos partes, que no corresponden a las secciones que constituyen la épica.)

Calypso *Elements of Literature*, page 655
Calipso (Conexión) de Suzanne Vega

Esta canción proviene del disco "Solitude standing", de la artista popular contemporánea Suzanne Vega. Se ha incluido esta canción para demostrar la fuerte vigencia de *La Odisea*.

I am Laertes' Son from the Odyssey, Book 9
Elements of Literature, page 656
Yo soy el hijo de Laertes de La Odisea, canto 9
de Homero, traducido por Robert Fitzgerald

Durante un banquete del rey Alcinoo, éste le pide a Ulises que se identifique. Ulises comienza explicando de dónde proviene y después describe cómo fue capturado por Calipso y Circe, y cuenta los muchos años que ha pasado viajando desde Troya hacia su casa. También habla acerca de los Cicones y de la tormenta provocada por Zeus que causó que los barcos de Ulises estuvieran a la deriva durante nueve días.

The Lotus Eaters from the **Odyssey, Book 9**
Elements of Literature, page 658

Los comedores de lotos de **La Odisea, canto 9** de Homero, traducido por Robert Fitzgerald

Después de haber perdido a muchos hombres en una batalla con Cicones en Ismaros, y de ser arrastrado fuera de su ruta debido a una fuerte tormenta, Ulises y su tripulación llegan a la isla de los comedores de lotos. Algunos de los marineros consumen lotos, y con eso olvidan la tierra de donde vienen. Ulises tiene que arrastrarlos hasta los barcos y amarrarlos a los remos.

The Cyclops from the **Odyssey, Book 9**
Elements of Literature, page 660

El cíclope de **La Odisea, canto 9** de Homero, traducido por Robert Fitzgerald

El cíclope Polifemo captura a Ulises y a sus seguidores, y los encierra en su cueva. Los hombres observan, horrorizados e indefensos, cómo el monstruo se come a dos de ellos cada mañana y noche. Ulises idea un plan para escapar. Junto con sus compañeros hace una estaca de madera afilada, que calienta en el fuego y se la clava en el ojo al cíclope mientras está dormido, dejándolo ciego. Ulises y sus hombres escapan de la cueva aferrándose a las panzas de los carneros del cíclope. Mientras navegan, Ulises no puede resistirse a retar al monstruo, quien lo maldice e implora a su padre, Poseidón, el dios del mar, que mantenga al héroe deambulando por el mar durante muchos años.

The Cyclops in the Ocean *Elements of Literature,* page 672
Los cíclopes en el océano (Conexión) de Nikki Giovanni

En este poema, Nikki Giovanni compara una violenta tormenta tropical con los cíclopes.

The Enchantress Circe from the Odyssey, Book 10
Elements of Literature, page 673
La bruja Circe de La Odisea, canto 10, de Homero, traducido por Robert Fitzgerald

Ulises y sus hombres llegan a la isla de la bruja Circe. Los marineros son hechizados por la bruja, quien los convierte en cerdos y los encierra en una pocilga.

The Land of the Dead from the Odyssey, Book 11
Elements of Literature, page 675
La tierra de los muertos de La Odisea, canto 11, de Homero, traducido por Robert Fitzgerald

En el inframundo, el adivino Tiresias le advierte a Ulises que se mantenga alejado del ganado de Helios, el dios del sol. Tiresias le dice a Ulises que cuando finalmente llegue a casa, la encontrará en completo desorden, y también le dice que después de asesinar a los pretendientes de su esposa, deberá hacerle sacrificios a Poseidón.

The Sirens; Scylla and Charybdis from the Odyssey, Book 11 *Elements of Literature,* page 678
Las sirenas; Escila y Caribdis de La Odisea, canto 12, de Homero, traducido por Robert Fitzgerald

Ulises regresa a la isla de Circe. La bruja le dice cómo evitar los peligros de las sirenas y de Escila y Caribdis. Ulises se hace atar al mástil del barco para que pueda oír el canto de las sirenas sin sucumbir ante él, y tapa los oídos de sus hombres con cera de abejas para evitar que escuchen las voces hechizadoras de las sirenas. Ulises y su tripulación escapan del peligro, pero pierden a seis hombres en Escila cuando pasan por los estrechos de Escila y Caribdis.

The Cattle of the Sun God from the Odyssey, Book 12

Elements of Literature, page 684

El ganado del dios del sol de La Odisea, canto 12, de Homero, traducido por Robert Fitzgerald

Ulises le advierte a sus hombres que no deben tocar el ganado del dios del sol. Después de una tormenta que azota durante un mes, las provisiones se agotan y un marino, Euriloco, convence a los demás de que comerse el ganado es mejor que morirse de hambre. Ulises se despierta y descubre lo sucedido. Entonces maldice a los dioses por haberle permitido dormir durante el banquete y por no haber podido detener a sus hombres.

The Meeting of Father and Son from the Odyssey, Book 16 *Elements of Literature,* page 689

La reunión de padre e hijo de La Odisea, canto 16, de Homero, traducido por Robert Fitzgerald

Después de tratar de averiguar si su padre aún vive, Telémaco regresa a Itaca y visita a Eumeo, el porquerizo, quien le explica que Penélope está asediada por los pretendientes. Ella, que aún llora por su esposo perdido, rechaza casarse nuevamente. Ulises, disfrazado como pordiosero, se encuentra también en la choza del porquerizo, pero Telémaco no reconoce a su padre. Los tres hombres comen juntos y el porquerizo es enviado a avisarle a Penélope acerca de su regreso. Atenea aparece y le regresa su juventud a Ulises. Telémaco, incrédulo, sospecha de que se trata de un truco, pero Ulises lo convence. Padre e hijo se reencuentran con gran alegría y nostalgia.

The Beggar and the Faithful Dog from the Odyssey, Book 17 *Elements of Literature,* page 694

El pordiosero y el perro fiel de La Odisea, canto 17, de Homero, traducido por Robert Fitzgerald

Ulises se disfraza como pordiosero una vez más y se dirige a su hogar. El viejo perro de Ulises, Argos, quien está recostado abandonado fuera de la cerca de la casa, reconoce la voz de su dueño. Moviendo la cola, el fiel perro saluda a su amo y después muere.

Penelope to Ulysses *Elements of Literature,* page 697
De Penélope para Ulises (Conexión) de Meredith Schwartz

Este poema está escrito desde la perspectiva de Penélope y describe su larga y solitaria espera por Ulises.

An Ancient Gesture *Elements of Literature,* page 697
Un gesto antiguo (Conexión) de Edna St. Vincent Millay

La hablante, como Penélope, es una mujer que ha estado esperando durante años el regreso de su esposo. Ella reflexiona acerca del lazo que une a todas las mujeres que se encuentran en la misma situación.

The Test of the Great Bow from the **Odyssey, Book 21**
Elements of Literature, page 698
La prueba del gran arco de **La Odisea, canto 21,**
de Homero, traducido por Robert Fitzgerald

Penélope ha impuesto una prueba prácticamente imposible a todos sus pretendientes: utilizando el arco de su marido disparar una flecha a través del ojo del mango de doce hachas de hierro. Varios pretendientes intentan hacerlo y fallan. Después Ulises, aún en su disfraz de pordiosero, pide intentar. Penélope acepta y se retira a su hogar. Ignorando las burlas de los pretendientes, Ulises logra la hazaña.

Death at the Palace from the **Odyssey, Book 22**
Elements of Literature, page 703
Muerte en el palacio de **La Odisea, canto 22,** de Homero,
traducido por Robert Fitzgerald

Para recuperar su reino, Ulises debe eliminar a todos los despechados pretendientes de Penélope, quienes se han unido en contra del héroe y que tienen a Antinoo como líder. Telémaco y su padre, junto con el porquerizo y el vaquero, acorralan a los pretendientes en un salón y los matan.

Odysseus and Penelope from the Odyssey, Book 23
Elements of Literature, page 706

Penélope y Ulises de La Odisea, canto 23, de Homero, traducido por Robert Fitzgerald

Al principio, Penélope está tan impresionada por la apariencia del esposo que perdió mucho tiempo atrás, que queda inmóvil y sin habla. Telémaco le reprocha ser desconfiada, pero ella exige una prueba de que Ulises es en realidad su esposo. Ulises se baña y se viste con ropa limpia, pero Penélope aún tiene dudas. Finalmente, Ulises demuestra su identidad revelando el secreto de su lecho nupcial, que construyeron sobre la base de un árbol. Al escuchar esto, Penélope abraza a Ulises llorando de felicidad.

Ithaca *Elements of Literature, page 711*

Itaca (Conexión) de C. P. Cavafy, traducido por Edmund Keeley y Philip Sherrard

Utilizando una metáfora extendida, el narrador aconseja al lector saborear la "maravillosa aventura" de la vida.

The Sea Call *Elements of Literature, page 712*

La llamada del mar (Conexión) de Nikos Kazantzakis, traducido por Kimon Friar

En este extracto de *La Odisea: una continuación moderna*, el autor, un poeta griego, extiende la historia mostrando al héroe que, al fin en casa, se siente inesperadamente atrapado.

Where I Find My Heroes and **Heroes with Solid Feet**
Elements of Literature, page 718
En dónde encuentro a mis héroes de Oliver Stone y **Héroes de pies sólidos** de Kirk Douglas

Estos dos ensayos describen el significado del heroísmo para dos figuras prominentes de la industria del espectáculo. El director y productor Oliver Stone ha alterado su visión del heroísmo para incluir no solamente a los grandes héroes del pasado, como George Washington y Florence Nightingale, sino a la gente común que lleva a cabo "actos simples de heroísmo", como los padres concientes, los jóvenes que se abstienen de usar drogas, y las celebridades modestas. El actor Kirk Douglas recuerda cómo una sobreviviente del Holocausto describió a los residentes de Berlín como "pequeños héroes" que le salvaron la vida.

The Fenris Wolf *Elements of Literature,* page 726
El lobo Fenris relatora, Olivia Coolidge

El lobo Fenris es un monstruo enorme y feroz cuyo padre es Loki, un dios malvado, pero indispensable. Tras dos intentos de contener al lobo, los dioses obtienen una cuerda delgada y suave creada por los enanos. Fenris se burla de la cuerda y con razón sospecha que puede estar encantada, por lo que demanda tener un rehén mientras prueba su resistencia. El dios Tiro se propone como voluntario y coloca su mano dentro de las temibles mandíbulas del monstruo. El lobo lucha por liberarse de la cuerda y aunque arranca la mano de Tiro, no logra soltarse. Así, el lobo queda atado durante el gobierno del dios Odín, pero al final se libera cuando, como lo dicta el destino, los dioses son destruidos.

Colección 11

El drama • Sintetizar fuentes de infomación

Visitor from Forest Hills *Elements of Literature,* page 755

Un visitante de Forest Hills de **Suite en el Plaza** de
Neil Simon

Minutos antes de que se case su hija, Norma y Roy Hubley se dan cuenta de
que la muchacha se ha encerrado en el baño del cuarto de hotel. Mimsey se
niega a comunicarse con sus padres, quienes se turnan tratando de
convencerla para que salga y que la ceremonia pueda comenzar. Los
esfuerzos para convencerla revelan los motivos de cada uno de los padres, y
el conflicto entre estos motivos da muchos de los elementos cómicos de la
obra. La preocupación de Roy es principalmente el dinero que la tardanza de
su hija le va a costar. La actitud de Norma es más compleja. Mimsey por fin
acepta hablar con su padre, pero dentro del baño. Después de que hablan,
Mimsey permanece en el baño y Roy llama al novio por teléfono para que
suba al cuarto. Mientras tanto, Roy le explica a Norma que Mimsey tiene
miedo de que ella y su novio se conviertan en una pareja que discute todo el
tiempo, como ellos. El novio llega, pronuncia dos palabras y regresa a la
recepción. Mimsey por fin sale del baño.

William Shakespeare's Life: A Genius from Stratford and
Shakespeare and His Theater: A Perfect Match
Elements of Literature, page 776

La vida de William Shakespeare: un genio de Stratford
de Robert Anderson y **Shakespeare y su teatro: una pareja
perfecta** de Robert Anderson

El primero de estos dos ensayos introductorios resume lo que se sabe de la
vida de William Shakespeare, con énfasis en su esmerado profesionalismo y
colocando en contexto la creación de *Romeo y Julieta.*

El segundo ensayo describe el Globe Theater, construido por la
compañía de Shakespeare, y lo contrasta con los teatros modernos. El ensayo
también habla sobre las diferencias entre el teatro y el cine. Pida a los
estudiantes que hojeen los ensayos fijándose en las ilustraciones, títulos y
pies de foto. Sugiera que escriban una lista de preguntas que esperan poder
responder a partir de la lectura de los ensayos.

The Tragedy of Romeo and Juliet, Act I, Scene 1
Elements of Literature, page 783

La tragedia de Romeo y Julieta, Primer acto, escena 1
de William Shakespeare

El coro, representado por un solo actor, resume brevemente la trama de la
obra. La acción ocurre en Verona, Italia. La reciente disputa entre dos
familias rivales de la nobleza arruina el romance entre los hijos de cada una
de ellas. El tema de la obra es el "amor marcado por la muerte"; el trágico
clímax es la muerte prematura de los jóvenes amantes, que obliga a las
familias a resolver su disputa.

The Tragedy of Romeo and Juliet, Act I, Scene 2
Elements of Literature, page 796

La tragedia de Romeo y Julieta, Primer acto, escena 2
de William Shakespeare

El conde Paris pide permiso al señor de Capuleto para casarse con su hija,
Julieta. Capuleto titubea, porque piensa que Julieta, que no ha cumplido aún
catorce años, es demasiado joven para el matrimonio. Sin embargo accede,
advirtiéndole a Paris que debe ganarse el amor de Julieta, puesto que él le ha
prometido cierto poder de elección para escoger al hombre con el que ha de
casarse. Capuleto invita a Paris a un festín esa misma noche. Entrega a su
sirviente la lista de invitados y sale con Paris. El sirviente, que no sabe leer,
no acierta qué hacer, y cuando entran Romeo y Benvolio, les pide ayuda.
Romeo lee la lista y descubre que Rosalina, la sobrina de Capuleto, ha sido
invitada. Benvolio, con la esperanza de que su amigo se enamore de alguien
más, convence a Romeo de que deben tratar de "colarse" en la fiesta.

The Tragedy of Romeo and Juliet, Act I, Scene 3
Elements of Literature, page 800

La tragedia de Romeo y Julieta, Primer acto, escena 3
de William Shakespeare

La señora de Capuleto pide a la nodriza que llame a Julieta, que entra poco
después. La forma de dirigirse a su madre muestra que es una hija obediente
y sumisa. La nodriza habla largamente y cuenta una historia de cuando
Julieta era niña. La señora de Capuleto le pide a la nodriza que se calle y
luego informa a Julieta sobre la oferta de matrimonio de Paris, pidiéndole
que la considere. Tanto la madre como la nodriza halagan la apariencia de
Paris, y Julieta obedientemente accede a considerar la propuesta.

The Tragedy of Romeo and Juliet, Act I, Scene 4
Elements of Literature, page 804

La tragedia de Romeo y Julieta, Primer acto, escena 4
de William Shakespeare

Romeo, Benvolio y su amigo Mercutio se ponen máscaras para acudir a la
fiesta de los Capuleto. Romeo sigue muy enamorado y les cuenta a sus
amigos que tuvo un sueño que lo ha dejado lleno de premoniciones sobre la
fiesta. Mercutio, para distraer a su amigo de sus preocupaciones, le explica lo
que sucede cuando una persona sueña. En una elegante exposición, describe
largamente a la reina Mab, el hada que controla el reino de los sueños.
Romeo regaña a Mercutio por parlanchín, pero Mercutio insiste en que los
sueños no tienen nada que ver con la realidad. Romeo, que presiente su
propia "muerte prematura" (1. 111), no está de acuerdo, pero decide
confrontar su destino, cualquiera que éste sea, y parte con sus amigos hacia
la fiesta.

The Tragedy of Romeo and Juliet, Act I, Scene 5
Elements of Literature, page 809
La tragedia de Romeo y Julieta, Primer acto, escena 5
de William Shakespeare

Entran tres sirvientes, bromeando entre sí y arreglando todo para la fiesta de los Capuleto. El señor de Capuleto recibe alegremente a sus invitados, y les da la bienvenida a los enmascarados recordando su propia juventud. Romeo ve a Julieta y se enamora de ella a primera vista. Aunque pregunta quién es, no consigue averiguarlo. Teobaldo, que ha reconocido la voz de su enemigo, se prepara para pelear. Sin embargo, Capuleto lo detiene y alaba los buenos modales de Romeo. Teobaldo obedece a su tío, pero jura vengarse. Romeo le confiesa a Julieta su amor, y su diálogo forma un soneto que se vale de imágenes religiosas para describir la devoción apasionada de los jóvenes. Se besan, pero la nodriza, que llama a Julieta para que vaya a ver a su madre, los separa. Romeo se entera por la nodriza que Julieta es la hija del señor de Capuleto, se lamenta de su mala fortuna y parte con sus amigos. Julieta a su vez interroga a la nodriza sobre la identidad de Romeo, y al descubrir que es un Montesco, también lamenta su mala suerte en el amor.

The Tragedy of Romeo and Juliet, Act II, Chorus and
Scene 1 *Elements of Literature,* page 818
La tragedia de Romeo y Julieta, Segundo acto, coro y
escena 1 de William Shakespeare

Segundo acto, coro
El coro resume bellamente el dilema de los jóvenes amantes: Romeo, curado de su amor por Rosalina, está ahora enamorado de alguien que es igualmente inalcanzable. Sin embargo el amor de la joven pareja garantiza que encontrarán la forma de reunirse.

Segundo acto, escena 1
Romeo escapa de sus amigos y entra en la huerta de los Capuleto. Mercutio lo llama, invocando con humor varios personajes del amor, como Venus y Cupido. Cuando Romeo no responde, Mercutio y Benvoilo se van, creyendo que su amigo está todavía deprimido por Rosalina y que quiere estar solo.

The Tragedy of Romeo and Juliet, Act II, Scene 2
Elements of Literature, page 820
La tragedia de Romeo y Julieta, Segundo acto, escena 2
de William Shakespeare

Romeo ve a Julieta en su balcón. Embelesado, pronuncia un monólogo en el que alaba su belleza. Sin darse cuenta de la presencia de Romeo, Julieta empieza a hablar de su amor por él. Romeo surge entre las sombras, y Julieta reconoce su voz. Conciente de la posición peligrosa en la que se encuentra Romeo, le pregunta qué hace allí. Romeo empieza a declarar su amor, pero Julieta lo calla, asustada por su intensidad. Al oír a su nodriza que la llama, Julieta desaparece. Cuando vuelve a aparecer en el balcón, le dice a Romeo que si realmente la ama, se casará con él. La nodriza llama de nuevo, y Julieta se retira, pero regresa una última vez a la ventana. Los amantes no quieren separarse, aunque no tienen más remedio.

The Tragedy of Romeo and Juliet, Act II, Scene 3
Elements of Literature, page 827
La tragedia de Romeo y Julieta, Segundo acto, escena 3
de William Shakespeare

Temprano a la mañana siguiente, Romeo se dirige a la celda de fray Lorenzo, su consejero espiritual. El fraile está en el jardín, contemplando la naturaleza y expone en un soliloquio cómo todas las creaciones de la naturaleza son benéficas si se usan correctamente; sin embargo, si las usamos mal, el resultado puede ser fatal. Los hombres, como la naturaleza, son capaces de actuar bien o mal. Romeo lo saluda, y el fraile se da cuenta de que algo no está bien, de otro modo el joven no estaría en la calle tan temprano. Romeo habla de su amor por Julieta, y le pide al fraile que los case. El fraile regaña a Romeo por su corazón cambiante, pero accede a casarlos, pues piensa que su unión reconciliará a las dos familias y terminará con la disputa.

The Tragedy of Romeo and Juliet, Act II, Scene 4
Elements of Literature, page 831
La tragedia de Romeo y Julieta, Segundo acto, escena 4
de William Shakespeare

Mercutio y Benvolio, mientras buscan a Romeo, revelan que Teobaldo piensa desafiar a Romeo a un duelo. Temen que su amigo, debilitado por su enamoramiento, sea incapaz de enfrentarse a un espadachín experto como Teobaldo. Entra Romeo, y Mercutio se burla de él, recordándole su comportamiento de la noche anterior. La nodriza entra, y Mercutio, ignorando aún la relación entre Romeo y Julieta, la insulta, diciéndole que es la alcahueta de su ama. Mercutio y Benvolio salen, y la nodriza le pregunta a Romeo si su amor por Julieta es verdadero. Romeo le asegura que lo es, y le dice que mande a Julieta a la celda de fray Lorenzo esa tarde para que los case.

The Tragedy of Romeo and Juliet, Act II, Scene 5
Elements of Literature, page 837
La tragedia de Romeo y Julieta, Segundo acto, escena 5
de William Shakespeare

Julieta espera impacientemente el retorno de su nodriza. Cuando ésta entra, frustra la curiosidad de Julieta con preguntas disgresivas y comentarios. Tras regañar a Julieta por su ingratitud, la nodriza le cuenta los planes de Romeo. Julieta tiene permiso para ir a la iglesia esa tarde, pero planea ir a la celda de fray Lorenzo.

The Tragedy of Romeo and Juliet, Act II, Scene 6
Elements of Literature, page 840
La tragedia de Romeo y Julieta, Segundo acto, escena 6
de William Shakespeare

Romeo se encuentra en la celda de fray Lorenzo, que le aconseja que modere su amor, pues semejantes intensidades no pueden conducir a nada bueno. Cuando Julieta entra, Romeo, excusándose por su ineptitud verbal, le pide que describa la magnitud de su amor. Julieta replica que las palabras no pueden hacerle justicia a sus sentimientos. El fraile, asustado por su pasión, los lleva rápidamente a casarse.

The Tragedy of Romeo and Juliet, Act III, Scene 1
Elements of Literature, page 845
La tragedia de Romeo y Julieta, Tercer acto, escena 1
de William Shakespeare

Benvolio le advierte a Mercutio que no deberían estar en público, pues si encuentran a alguno de los Capuleto podría haber una pelea. Mercutio se burla de Benvolio por sus consejos y, cuando encuentra a Teobaldo, lo confronta agresivamente. Romeo, que regresa de su boda, entra en escena. Teobaldo lo insulta y lo desafía a un duelo, pero Romeo se niega a pelear. Mercutio, creyendo que a su amigo le falta valor, accede a pelear con Teobaldo. Cuando Romeo interviene para detener el duelo, Teobaldo hiere a Mercutio y huye. Benvolio ayuda a Mercutio a salir del escenario, y regresa diciendo que está muerto. Romeo, que piensa que su reacción "afeminada" fue la causa de la muerte de su amigo, pelea con Teobaldo cuando éste regresa, lo mata y huye. Cuando los Montesco llegan, Benvolio explica lo que ha sucedido. El príncipe declara que Romeo queda exiliado de Verona, y que será muerto si se le encuentra en la ciudad.

The Tragedy of Romeo and Juliet, Act III, Scene 2
Elements of Literature, page 853
La tragedia de Romeo y Julieta, Tercer acto, escena 2
de William Shakespeare

Julieta, ansiosa por consumar su matrimonio, pronuncia un soliloquio en el que le pide a la noche que apure su llegada. La nodriza entra y distraídamente comenta que alguien ha muerto. Julieta cree que se trata de Romeo, hasta que la nodriza explica que es Teobaldo el que ha muerto, y que Romeo, que lo mató, ha sido expulsado de Verona. Julieta está dividida por sus emociones encontradas: por una parte está enojada con Romeo por haber matado a su primo, pero contenta de que Romeo esté vivo; se siente culpable de haber hablado mal de él, y desalentada por su expulsión. Julieta amenaza con quitarse la vida, pero la nodriza la consuela y le dice que irá a la celda del fraile, para decirle a Romeo que vaya a la recámara de Julieta esa noche como habían acordado.

The Tragedy of Romeo and Juliet, Act III, Scene 3
Elements of Literature, page 858
La tragedia de Romeo y Julieta, Tercer acto, escena 3
de William Shakespeare

En la celda del fraile, Romeo se entera de la sentencia de exilio que le ha impuesto el príncipe. Romeo, desesperado, se viene abajo y dice que la muerte es preferible a semejante destino. Cuando la nodriza llega y le comunica que Julieta también está desesperada, Romeo, sintiéndose responsable, trata de clavarse un puñal. La nodriza interviene, y fray Lorenzo ofrece un plan: Romeo irá a Mantua mientras el fraile trata de reconciliar a las dos familias, revela el matrimonio secreto de los jóvenes y obtiene el perdón del príncipe para Romeo, que entonces podrá volver a Verona. Pero primero, Romeo debe ver a Julieta. El fraile le advierte que debe partir hacia Mantua antes de que se ponga la guardia.

The Tragedy of Romeo and Juliet, Act III, Scene 4
Elements of Literature, page 863
La tragedia de Romeo y Julieta, Tercer acto, escena 4
de William Shakespeare

El señor de Capuleto le explica a Paris que el momento no es oportuno para hablar con Julieta, porque está muy dolida por la muerte de su primo. Sin embargo, confiado en la obediencia de su hija, le promete a Paris que Julieta accederá a casarse con él. El día de la boda queda fijado para el jueves, tres días después. Capuleto le dice a su esposa que vaya a la recámara de Julieta a contarle la noticia y prepararla para el día de la boda.

The Tragedy of Romeo and Juliet, Act III, Scene 5
Elements of Literature, page 865
La tragedia de Romeo y Julieta, Tercer acto, escena 5
de William Shakespeare

Romeo y Julieta han pasado la noche juntos. Amanece, y Romeo debe partir. Los amantes no quieren separarse, pero la nodriza entra e informa a Julieta de que su madre viene a verla. Con sus palabras de despedida, Romeo le asegura a Julieta que se verán de nuevo, pero Julieta tiene malos presentimientos. Entra la señora Capuleto, y al ver que Julieta llora, y pensando que sus lágrimas son por su primo, le dice que su muerte será vengada. Después le cuenta la decisión de su padre, pero Julieta se rehusa a casarse con Paris. Cuando su padre entra y se entera del rechazo, se enfurece y amenaza con desheredarla si no lo obedece. Julieta ruega a su madre posponer la boda, pero ella no accede. La nodriza aconseja a Julieta casarse con Paris y olvidarse de Romeo, que es inferior al conde. Sorprendida por esta última traición, Julieta decide no confiar nunca más en su nodriza. Se propone visitar a fray Lorenzo para buscar su ayuda, fingiendo que lo que busca es su absolución por el pecado de la desobediencia.

The Tragedy of Romeo and Juliet, Act IV, Scene 1
Elements of Literature, page 876
La tragedia de Romeo y Julieta, Cuarto acto, escena 1
de William Shakespeare

Julieta acude a la celda del fraile y encuentra a Paris allí. Paris le habla de amor y de su inminente boda, pero Julieta responde ambiguamente. Paris se aleja, y Julieta, trastornada, le dice al fraile que se suicidará si él no puede ayudarla. El fraile concibe un plan para evitar la boda con Paris: en la noche antes de la boda, Julieta tomará un bebedizo que la dormirá durante cuarenta y dos horas. Mientras tanto, el fraile enviará un mensaje a Romeo, que deberá regresar a Verona y esperar en el mausoleo de los Capuleto a que Julieta despierte. Entonces los dos amantes podrán escapar a Mantua.

The Tragedy of Romeo and Juliet, Act IV, Scene 2
Elements of Literature, page 880
La tragedia de Romeo y Julieta, Cuarto acto, escena 2
de William Shakespeare

El señor Capuleto está haciendo preparativos para la boda cuando Julieta
entra en escena. La joven parece arrepentida y le dice que fray Lorenzo le
dijo que pidiera perdón a su padre. Julieta pide perdón, y dice que está
dispuesta a obedecer y casarse con Paris. El señor de Capuleto se siente
aliviado y decide adelantar la boda para el miércoles, el día siguiente.

The Tragedy of Romeo and Juliet, Act IV, Scene 3
Elements of Literature, page 883
La tragedia de Romeo y Julieta, Cuarto acto, escena 3
de William Shakespeare

La nodriza le ha ayudado a Julieta a prepararse para la boda. Julieta pide a su
madre y a la nodriza que la dejen sola durante la noche. Antes de tomarse el
bebedizo, Julieta expresa dudas en un soliloquio: ¿y si la droga no funciona?
¿y si el fraile, temeroso del castigo por haberlos casado, le ha dado veneno?
¿y si despierta en la tumba antes de que Romeo llegue por ella? Julieta teme
especialmente esta última posibilidad, pensando que se volvería loca o que se
le aparecería el fantasma de Teobaldo. Recupera su valor y bebe la pócima,
diciendo que lo hace por su amor a Romeo.

The Tragedy of Romeo and Juliet, Act IV, Scene 4
Elements of Literature, page 885
La tragedia de Romeo y Julieta, Cuarto acto, escena 4
de William Shakespeare

Los padres de Julieta supervisan alegremente los preparativos para la boda.
Al oír que el conde Paris se acerca con una serenata, el señor de Capuleto
manda a la nodriza a despertar a Julieta.

The Tragedy of Romeo and Juliet, Act IV, Scene 5
Elements of Literature, page 886
La tragedia de Romeo y Julieta, Cuarto acto, escena 5
de William Shakespeare

La nodriza va a despertar a Julieta, pero al encontrarla inconsciente, piensa que está muerta. Da la voz de alarma, y los padres de Julieta entran y lamentan la muerte de su hija. Fray Lorenzo y Paris entran y se enteran de la noticia. El fraile, que sabe que Julieta no está muerta en realidad, consuela a los demás y les dice que es necesario preparar a Julieta para el entierro. La escena termina con un episodio cómico cuando los músicos intercambian bromas.

The Tragedy of Romeo and Juliet, Act V, Scene 1
Elements of Literature, page 895
La tragedia de Romeo y Julieta, Quinto acto, escena 1
de William Shakespeare

Baltasar, el sirviente de Romeo, llega a Mantua con la noticia de la muerte de Julieta. Sin haber recibido el mensaje del fraile, Romeo no sabe que la muerte es un simulacro. Desesperado, compra veneno de un boticario y parte hacia la tumba de Julieta.

The Tragedy of Romeo and Juliet, Act V, Scene 2
Elements of Literature, page 897
La tragedia de Romeo y Julieta, Quinto acto, escena 2
de William Shakespeare

Fray Lorenzo se entera de que su mensajero, fray Juan, no ha podido entregarle a Romeo la carta en la que explica el estado de coma de Julieta. El fraile se dirige hacia la tumba de Julieta, temeroso de que la joven, que despertará en tres horas, se encuentre sola.

The Tragedy of Romeo and Juliet, Act V, Scene 3
Elements of Literature, page 898

La tragedia de Romeo y Julieta, Quinto acto, escena 3
de William Shakespeare

Paris, en la tumba de los Capuleto, ve a Romeo y trata de detenerlo. Luchan, y Paris muere. Romeo coloca a Paris en la tumba, y pronuncia un soliloquio en el que alaba la belleza de Julieta. Luego toma el veneno y muere. El fraile llega, y cuando Julieta despierta, le dice que Romeo y Paris están muertos. El fraile se va. Sola, Julieta trata de suicidarse besando los labios de Romeo, con la esperanza de que aún quede en ellos veneno. Cuando fracasa, toma el puñal de Romeo y se lo clava. Los guardias y el paje de Paris descubren los cuerpos, y mandan llamar al fraile, a Baltasar, a los Capuleto, a los Montesco y al príncipe. El fraile explica lo ocurrido, y Baltasar presenta una carta que le entregó Romeo en la que se confirman las palabras del fraile. El príncipe culpa a las dos familias por causar la muerte de sus hijos, y las familias, arrepentidas, se reconcilian.

Your Laughter and How Do I Love Thee?
Elements of Literature, page 911

Tu risa (Conexión) de Pablo Neruda y ¿Cómo te amo? (Conexión) de Elizabeth Barrett Browning

Estos dos poemas, escritos por personas que vivieron en tiempos y lugares muy distintos, reflejan la inspiración universal del amor.

Dear Juliet and Romeo and Juliet in Bosnia
Elements of Literature, page 918

Querida Julieta de Lisa Bannon y Romeo y Julieta en Bosnia
de Bob Herbert

"Querida Julieta" es un artículo de periódico que describe algo que sucede en la Verona de la actualidad. Cientos de cartas llegan cada año dirigidas a la Julieta de Shakespeare, pidiéndole consejo sobre problemas de amor. Un hombre de negocios retirado, que trabaja para el ayuntamiento de Verona, contesta las cartas.

"Romeo y Julieta en Bosnia", un artículo editorial, describe la muerte trágica de una joven pareja atrapada entre dos grupos en guerra en Sarajevo, los serbios y los musulmanes. Bosko Brkic, serbio, y Admira Ismic, musulmana, trataron de escapar de la guerra, pero murieron al tratar de cruzar un puente entre líneas enemigas, abatidos por los francotiradores. Ambos lados del conflicto culparon al otro por sus muertes. El autor utiliza el destino de esta joven pareja para personalizar los efectos mortales del odio religioso y racial y para pedir el final de esta violencia.

Colección 12

Documentos para el consumidor y el trabajo

Reading Consumer Documents *Elements of Literature,* page 948
Leer documentos para el consumidor

La lección presenta dos documentos que es posible que los estudiantes
encuentren cuando compran un producto: una garantía y un manual de
instrucciones. En este caso, los documentos son para una consola para
juegos de computadora. Las características de la garantía limitada incluyen
una garantía de 90 días para el ensamblaje, un año de cobertura para los
componentes, e instrucciones para registrar la garantía. Se presentan dos
elementos del manual de instrucciones: la información sobre el producto
con las especificaciones técnicas de la consola y la información de seguridad
que advierte al lector sobre los posibles riesgos en el uso de la consola.

Following Technical Directions *Elements of Literature,* page 952
Seguir instrucciones técnicas

Esta lección presenta dos tipos de materiales informativos que los
estudiantes pueden encontrar en Internet. El primero es un FAQ (Preguntas
más frecuentes) sobre los programas buscadores de Internet. Las FAQ usan
un formato de pregunta y respuesta para ofrecer información sobre cómo
usar un programa buscador de forma precisa y eficiente. El segundo
documento da instrucciones técnicas paso a paso sobre cómo personalizar
un programa de navegación para que la página del buscador se convierta en
la página de inicio.

Citing Internet Sources *Elements of Literature,* page 955
Citar fuentes de información en Internet

Muchos estudiantes que buscan información en Internet encontrarán esta lección útil. En ella se explica la necesidad de usar una bibliografía o sección de obras citadas como parte de cualquier reporte de investigación. Contiene instrucciones detalladas para compilar una bibliografía de fuentes de información en Internet. De particular utilidad es la sección sobre qué información incluir en cada nota bibliográfica, una lista de ejemplos de obras citadas, y una serie de ejemplos de tarjetas con información sobre fuentes de información en Internet.

Analyzing Functional Workplace Documents
Elements of Literature, page 959
Analizar documentos funcionales en el trabajo

Esta lección da ejemplos de documentos funcionales en el sitio de trabajo y ayuda a los estudiantes a entender sus características, estructura, formato y secuencia.

El primer documento es un acuerdo de licencia de archivos de dominio público (shareware) para Juegos de arte WYSIWYG. En él se otorgan ciertos derechos al usuario de los programas y se indican las limitaciones que la compañía impone en el uso del programa. Los términos incluyen el hecho de que la compañía no ofrece garantía ni acepta responsabilidad por el programa. En la página opuesta, se describen las características del documento, así como elementos de estructura, formato y secuencia.

El segundo documento es una página web de la compañía. La página le permite a los visitantes ver información sobre el juego "El espectáculo debe continuar", y descargar de la red el programa del juego. Se hace uso de una variedad de características estructurales y de formato para presentar la información de forma efectiva.

Evaluating the Logic of Functional Documents

Elements of Literature, page 965

Evaluar la lógico de documentos funcionales

En esta lección, los estudiantes aprenden a reconocer errores en documentos funcionales causados por una lógica defectuosa. Los errores más comunes son la omisión de información o la secuencia equivocada de información. Estos errores se ilustran en dos documentos que contienen instrucciones paso a paso para completar un proceso. Cada documento contiene errores que potencialmente pueden crear confusión: un paso intermedio crítico es omitido o colocado erróneamente como el paso final, por ejemplo.

El primer documento son las instrucciones para instalar un sistema inalámbrico de Internet. La información en el último paso, la conexión del sistema inalámbrico al módem, debería estar en un paso anterior.

El segundo documento presenta las instrucciones para descargar e instalar un juego de computadora. El último paso del proceso, descargar un programa para descomprimir los archivos, debería haber aparecido en el primer o segundo lugar.

Part II A Writer's Framework

Escritura

Guía para un escritor

Escribir un relato autobiográfico

Introducción	**Cuerpo**	**Conclusión**
• Empieza con un comienzo cautivador. • Proporciona información básica a los lectores para que entiendan el contexto del relato. • Da a entender la importancia de la experiencia.	• Habla sobre la secuencia de sucesos que conforman tu experiencia. • Discute los sucesos importantes que condujeron a, o resultaron de tu experiencia. • Incluye suficientes detalles sobre gente, lugares y sucesos.	• Vuelve a hablar de la experiencia desde el punto de vista del presente. • Reflexiona sobre lo que aprendiste o de qué manera cambiaste como resultado de esta experiencia. • Revela el significado de la experiencia.

Escribir un cuento

Comienzo	**Intermedio**	**Final**
• Inicia con un suceso interesante o una introducción cautivadora sobre el personaje principal. • Establece el escenario del cuento y el punto de vista del narrador. • Introduce el conflicto que da origen a la trama del cuento.	• Desarrolla los sucesos de la acción. • Utiliza detalles narrativos y sensoriales para desarrollar a los personajes y describir el escenario. • Lleva el conflicto a un clímax efectivo.	• Haz que la solución del conflicto sea creíble. • Trata de que la solución sugiera el tema del cuento.

Escritura

Guía para un escritor

Analizar obras de ensayo

Introducción	Cuerpo	Conclusión
• Proporciona información básica sobre el tema de la biografía. • Introduce el título y el autor de la biografía. • Plantea tu tesis.	• Apoya el planteamiento de tu tesis con información sobre los elementos de la biografía: personaje, sucesos y escenario. • Apoya tu discusión de cada uno de los elementos con datos importantes. • Profundiza en los datos que ofreces como evidencia.	• Resume tus ideas acerca de los elementos de la biografía. • Vuelve a plantear la tesis en otras palabras.

Comparar la cobertura de los medios de comunicación

Introducción	Cuerpo	Conclusión
• Comienza con algo que cautive la atención de los lectores. • Introduce la noticia y los temas que vas a comparar y contrastar. • Plantea claramente tu tesis.	• Presenta de forma clara tu método de organización: por bloque o punto por punto. • Discute las similitudes y diferencias entre las dos coberturas de la noticia. • Respalda cada punto de comparación con datos.	• Recuérdale a los lectores tu tesis. • Menciona los factores que podrían explicar las diferencias que encontraste. • Expresa una conclusión final o deja a los lectores con una idea para reflexionar.

Escritura

Guía para un escritor

Escribir un ensayo persuasivo

Introducción

- Llama la atención de los lectores con un tema sugestivo.
- Proporciona información básica a los lectores para que entiendan el tema de tu ensayo.
- Presenta tu opinión sobre el tema.

Cuerpo

- Proporciona por lo menos tres razones que respalden tu opinión.
- Da al menos dos datos como evidencia para respaldar cada una de las razones.
- Organiza las razones y la evidencia en forma lógica.

Conclusión

- Vuelve a presentar tu opinión.
- Resume tus razones o incluye una llamada a la acción: una oración que le diga a los lectores lo que quieres que hagan.

Describir un lugar

Introducción

- Inicia con un enunciado o pregunta que llame la atención de los lectores.
- Asegúrate de que el tema y tu punto de vista estén claros desde el principio.
- Incluye una oración sobre tu impresión más fuerte del lugar.

Cuerpo

- Usa detalles variados (sensoriales, informativos y figurados).
- Incluye tus ideas y sentimientos acerca del tema.
- Introduce los detalles en el orden en el que aparecen o en orden de importancia.

Conclusión

- Resume tus ideas acerca del lugar que estás describiendo.
- Vuelve a presentar tu impresión principal.

Escritura

Guía para un escritor

Analizar un poema		
Introducción	**Cuerpo**	**Conclusión**
• Llama la atención de los lectores relacionando el significado del poema con experiencias comunes de la gente. • Introduce el título y el autor del poema. • Plantea tu tesis e incluye los elementos clave y el tema que discutirás.	• Organiza los elementos literarios clave en orden de importancia o en el orden en el que aparecen en el poema. • Discute cada uno de los elementos literarios clave. • Proporciona referencias para cada elemento clave y profundiza sobre cada uno de los ellos.	• Vuelve a plantear la tesis para que los lectores no la olviden. • Resume los puntos principales. • Muestra la relación del poema con los temas generales de la vida.

Analizar un cuento		
Introducción	**Cuerpo**	**Conclusión**
• Llama la atención del lector contando una anécdota o formulando una pregunta. • Identifica el autor y el título del cuento. • Plantea la tesis presentando el elemento central y los puntos clave.	• Habla sobre un punto clave en cada párrafo. • Apoya cada punto clave con información del texto. • Elabora tu argumento explicando de qué manera los datos apoyan cada uno de los puntos clave.	• Vuelve a plantear la tesis de una forma nueva. • Resume los puntos clave. • Termina con un comentario reflexivo que relacione tu análisis con la vida real.

Escritura

Guía para un escritor

Escribir un informe de investigación

Introducción	Cuerpo	Conclusión
• Captura la atención del lector con una pregunta, anécdota o hecho interesante. • Proporciona al lector información básica sobre el tema. • Incluye una tesis clara que responda la pregunta de la investigación planteada.	• Desarrolla cada punto principal de tu investigación en un párrafo aparte. • Apoya cada uno de los puntos principales con datos, evidencia y detalles, usando citas directas, paráfrasis y resúmenes. • Ordena los puntos principales y la evidencia en orden lógico.	• Vuelve a plantear la tesis en otras palabras para que los lectores la recuerden. • Deja a los lectores con una idea final o un punto para reflexionar.

Persuadir con causa y efecto

Introducción	Cuerpo	Conclusión
• Inicia con una anécdota o un planteamiento bien definido. • Proporciona información básica para la situación, si es necesario. • Incluye claramente tu opinión acerca del tema. Indica cómo te sientes acerca de la situación y haz alusión a los efectos de los que hablarás.	• Explica la causa y los efectos de la situación. • Utiliza recursos persuasivos lógicos, emocionales y éticos. • Utiliza como evidencia datos, estadísticas, anécdotas, opiniones de especialistas, razonamiento lógico o sentido común.	• Invita a los lectores a actuar de forma específica con una llamada a la acción. • Responde las preguntas que los lectores podrían hacer sobre tu llamada a la acción. • Vuelve a presentar tu opinión. • Termina con una declaración sólida.

Escritura

Comparar una obra de teatro con una película

Introducción

- Cautiva la atención del lector inmediatamente con un comienzo interesante. Puedes usar una pregunta, una cita textual de la obra o una anécdota relevante.

- Identifica la obra original, la película y sus creadores.

- Plantea claramente tu tesis.

Cuerpo

- Compara las técnicas narrativas y organízalas punto por punto.

- Analiza y evalúa las técnicas de la película y organízalas por orden de importancia.

- Incluye referencias específicas de la obra y de la película para respaldar tu argumento.

Conclusión

- Vuelve a plantear la tesis para que los lectores la recuerden.

- Incluye una idea final o pregunta para que la reflexionen los lectores.

Part III   Grammar Guide

Guía de la gramática

abbreviation (abreviatura) Una abreviatura es una forma corta de escribir una palabra o frase.

■ **uso de la mayúscula en**

TÍTULOS USADOS CON LOS NOMBRES	**M**r.	**D**r.	**J**r.	**Ph.D.**
TIPOS DE ORGANIZACIONES	**A**ssn.	**I**nc.	**D**ept.	**C**orp.
PARTES DE DIRECCIÓN	**A**ve.	**S**t.	**B**lvd.	**P.O. B**ox
NOMBRES DE ESTADOS [sin código postal]	**K**y.	**T**ex.	**T**enn.	**N. D**ak.
[con código postal]	**KY**	**TX**	**TN**	**ND**
PERÍODOS	**B.C.**	**A.D.**		
HORAS	**A.M.**	**P.M.**		

■ **puntuación de**

CON PUNTOS	(Ver los ejemplos anteriores.)
SIN PUNTOS	VCR ESPN NAACP FCC
	DC [D.C. sin código postal]
	kg lb tsp km ft
	[Excepto: inch = in.]

action verb (verbo de acción) Un verbo de acción expresa una actividad física o mental.

EJEMPLOS   Kurt **ran** toward the ledge.

Owen correctly **guessed** the number of jelly beans in the jar.

active voice (voz activa) La voz activa es la voz que usa un verbo cuando expresa la acción realizada por el sujeto. (Ver también **voice (voz)**.)

EJEMPLO   Napoleon's armies **conquered** most of western Europe.

---

adjective (adjetivo) Un adjetivo modifica un sustantivo o pronombre.

EJEMPLO   **The** peninsula has **high** mountains and **winding** roads.

adjective clause (cláusula adjetiva) Una cláusula adjetiva es una cláusula subordinada que modifica un sustantivo o pronombre.

EJEMPLO   The man **who disappeared** was soon found again.

adjective phase (frase adjetiva) Una frase adjetiva es una frase prepositiva que modifica un sustantivo o pronombre.

EJEMPLO   We approached the highest peak **in the Alps.**

adverb (adverbio) Un adverbio modifica un verbo, un adjetivo u otro adverbio.

EJEMPLO   Helen **rarely** loses her temper.

adverb clause (cláusula adverbial) Una cláusula adverbial es una cláusula subordinada que modifica un verbo, un adjetivo o un adverbio.

EJEMPLO   We will try to get indoors **before the storm arrives.**

adverb phrase (frase adverbial) Una frase adverbial es una frase prepositiva que modifica un verbo, un adjetivo o un adverbio.

EJEMPLO   Terry cleaned his room **in a few minutes.**

agreement (concordancia) La concordancia es la correspondencia entre las formas gramaticales. Las formas gramaticales concuerdan cuando tienen el mismo género y número.

■ **de pronombres y antecedentes**

SINGULAR   **Ethan** politely asked for an increase in **his** allowance.
PLURAL   Ethan's **brothers** politely asked for an increase in **their** allowances.

SINGULAR   **Everyone** in the play made **his or her** own costumes.
PLURAL   **All** of the performers made **their** own costumes.

SINGULAR   Is **Matthew or Terence** looking forward to reciting **his** poem in front of **his** classmates?
PLURAL   **Matthew and Terence** are looking forward to reciting **their** poems in front of **their** classmates.

■ **de sujetos y verbos**

SINGULAR The art **teacher has painted** a mural on a wall of the cafeteria.

The art **teacher,** with the help of her students, **has painted** a mural on a wall of the cafeteria.

PLURAL The art **students have painted** a mural on a wall of the cafeteria.

PLURAL The art **students,** with the help of their teacher, **have painted** a mural on the wall of the cafeteria.

SINGULAR **Everyone** in this class **is learning** sign language.
PLURAL **All** of the students **are learning** sign language.

SINGULAR **Neither Diego nor I was** ready to compete in the battle of the bands.
PLURAL **Salsa, reggae, and zydeco were** among the kinds of music played at the band competition.

SINGULAR Here **is** your book **bag.**
PLURAL Here **are** your **books.**

SINGULAR **Ten dollars is** the cost of the ticket.
PLURAL In this stack of bills, ten **dollars are** torn.

SINGULAR **Two thirds** of the freshman class **has voted.**
PLURAL **Two thirds** of the freshmen **have voted.**

SINGULAR *Symphonies of Wind Instruments* **was composed** by Igor Stravinsky.
PLURAL Stravinsky's other **symphonies were** also well **received.**

SINGULAR **Is mathematics** your favorite school subject?
PLURAL **Are** my **binoculars** in your locker?

ambiguous reference (referencia ambigua) La

referencia ambigua ocurre cuando un pronombre se refiere incorrectamente a cualquiera de los dos antecedentes.

AMBIGUA Martina is supposed to meet Jada at the library after she practices her cello lesson.

CLARA After **Martina** practices **her** cello lesson, **she** is supposed to meet Jada at the library.

CLARA After **Jada** practices **her** cello lesson, **she** is supposed to meet Martina at the library.

antecedent (antecedente) Un antecedente es la palabra o grupo de palabras a la que se refiere el pronombre.

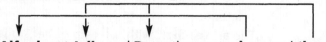

EJEMPLO **Alfred** sent **Julie** and **Dave** the money **he** owed **them.**
[*Alfred* es el antecedente de *he*. *Julie* y *Dave* son los antecedentes de *them*.]

apostrophe (apóstrofo)

■ **para formar contracciones**
   EJEMPLOS couldn't   let's   o'clock   '99

■ **para formar los plurales de letras, números, símbolos y palabras usadas como palabras**
   EJEMPLOS *p*'s and *q*'s   *A*'s and *I*'s

   10's and 20's $'s and ¢'s

■ **para mostrar posesión**
   EJEMPLOS gymnast's routine

   gymnasts' routines

   children's toys

   everyone's opinion

   Whitney Houston's and Denzel Washington's performances

   a year's [o twelve months'] leave of absence

appositive (apositivo) Un apositivo es un sustantivo o pronombre que se coloca junto a otro sustantivo o pronombre para describirlo o identificarlo.

EJEMPLO My great-aunt **Rina** was born in Poland.

appositive phrase (frase apositiva) Una frase apositiva consta de un apositivo y sus modificadores.

EJEMPLO Kublai Khan, **the first emperor of the Yuan dynasty,** united China under his rule.

article (artículo) Los artículos *a (un, una), an (un, una)* y *the (el, la, los, las)* son los adjetivos usados con mayor frecuencia.

EJEMPLO On **an** overpass south of **the** city, **an** incident occurred that convinced John that he needed **a** new car.

bad, badly (malo, mal)

NO ESTÁNDAR   Do you think these leftovers smell badly?

ESTÁNDAR   Do you think these leftovers smell **bad**?

base form (forma base) La forma base, o infinitivo, es una de las cuatro partes principales de un verbo.

EJEMPLO   This computer program has helped me [to] **learn** Spanish.

brackets (corchetes)

EJEMPLO   The history book points out that "the name Hundred Years' War is a misnomer **[**a wrong name**]**, for the name refers to a series of wars that lasted 116 years **[**1337–1453**]**."

capitalization (letras mayúsculas)

- en abreviaturas y acrónimos (Ver **abbreviations (abreviaturas).**)
- en palabras de inicio

EJEMPLOS   **M**y sister writes in her journal every night.

Omar asked, "**W**ould you like to play on my soccer team?"

Dear Ms. Reuben:

Sincerely yours,

- en nombres y adjetivos propios

Nombre propio	Nombre común
James Lovell, Jr.	astronauta
Alexander the Great	líder
South America	continente
Appalachian Mountains	cordillera
Minnesota Vikings	equipo
Democratic Party (o party)	partido político
French and Indian War	suceso histórico
Jurassic Period	período histórico
Mother's Day	día festivo
General Motors Coporation	empresa

■ **en títulos**

EJEMPLOS **G**overnor Pataki [antes de un nombre]

Pataki, the **g**overnor of New York [después de un nombre]

Thank you, **G**overnor. [palabra directa]

Aunt Ramona [*pero* our **a**unt Ramona]

Dust Tracks on a Road [novela]

The Lion King [película u obra de teatro]

Nova [programa de TV]

Mona Lisa [obra de arte]

"**T**he **S**tar-**S**pangled **B**anner" [canción]

"**A**migo **B**rothers" [cuento]

"**N**othing **G**old **C**an **S**tay" [poema]

case of pronouns (caso del pronombre) El caso del pronombre es la forma que adopta un pronombre, según su uso en una oración.

NOMINATIVO **He** and **I** are making vegetable quesadillas.

Two of the class officers are Eric and **she.**

Either player, Cheryl or **she,** can play shortstop.

We volunteers have worked very hard on the recycling campaign.

Is Ernesto Galarza the author **who** wrote *Barrio Boy*?

Do you know **who** they are?

I helped Ms. Wong as much as **he.** [quiere decir "as much as he helped Ms. Wong"]

OBJETIVO This jacket will not fit Yolanda or **her.**

Aunt Calista brought **him** and **me** souvenirs of her trip to the Philippines.

Were you three cheering for **us** or **them**?

The mayor thanked **us** volunteers for our contributions.

Maya Angelou, **whom** many readers admire, is certainly my favorite author.

One of the candidates for **whom** I will vote is Tamisha.

I helped Ms. Wong as much as **him**. [quiere decir "as much as I helped him"]

POSESIVO **Your** interpretation of **her** poem was different from **mine.**

clause (cláusula) Una cláusula es un grupo de palabras que tiene sujeto y verbo, y que se usa como parte de una oración.

CLÁUSULA INDEPENDIENTE   Theo installed the blinds

CLÁUSULA SUBORDINADA   while Dorothy worked on the wiring

colon (dos puntos)

■ **antes de las listas**

EJEMPLOS   The recipe calls for the following herbs: thyme, basil, cilantro, and oregano.

The documentary profiled three women artists of the twentieth century: Audrey Flack, a painter; Louise Nevelson, a sculptor; and Margaret Bourke-White, a photographer.

■ **en situaciones convencionales**

EJEMPLOS   6:30 A.M.

Ecclesiastes 11:7–10

Computers and You: A Video Guide

Dear Sir or Madam:

comma (coma)

■ **en una serie**

EJEMPLOS   Tony, Julian, and Katie helped me make the fruit salad by cutting up the oranges, bananas, grapes, and papayas.

We rode our bicycles to the park, bought snacks at the juice bar, found a picnic table, and then played chess for an hour.

The silly cat had run through the living room, over the sofa, between my feet, through the door, across the hall, and up the stairs.

■ **en oraciones compuestas**

EJEMPLOS   I like all kinds of music, but jazz is my favorite.

The students listened to each candidate's speech, and then they left the auditorium to cast their votes.

■ **con cláusulas y frases no esenciales**

EJEMPLOS   Didn't Mount Etna, Europe's largest volcano, erupt a few years ago?

In the mid-1900s, the Inuit, whose ancestors had led nomadic lives of hunting and fishing, began settling in urban areas of the Arctic region.

David will be bringing fresh salsa, which his father makes from tomatoes and herbs that they grow in their garden.

■ **con elementos introductorios**

EJEMPLOS In the first match of the tennis tournament, Pablo competed against the player who was ranked first in the state.

When the exciting game was over, many of the fans raced onto the field to praise and congratulate the winning player.

■ **con interrupciones**

EJEMPLOS The most memorable part of our vacation, however, was our visit to the Smithsonian Institution.

You might consider making a mobile, for example, or some other simple present.

The most demanding role, I believe, is that of King Lear in Shakespeare's tragedy of the same name.

■ **en situaciones convencionales**

EJEMPLOS On Monday, June 5, 2000, the Walkers flew from Detroit, Michigan, to San Juan, Puerto Rico, to attend their family reunion.

I mailed the package to 1620 Palmetto Drive, Tampa, FL, 33637, on 15 September 2000.

comma splice (empalme de coma) El empalme de coma consiste en unir erróneamente dos oraciones completas con una coma. (Ver también **fused sentence (oración fusionada)** y **run-on sentence (oración seguida)**.)

EMPALME DE COMA My sister Eileen has a paper route, I help her sometimes, especially when the weather is bad.

REVISADA My sister Eileen has a paper route, **and** I help her sometimes, especially when the weather is bad.

REVISADA My sister Eileen has a paper route; I help her sometimes, especially when the weather is bad.

REVISADA My sister Eileen has a paper route. I help her sometimes, especially when the weather is bad.

comparison of modifiers (comparación de modificadores)

■ comparación de adjetivos y adverbios

Positivo	Comparativo	Superlativo
strong	strong**er**	strong**est**
happy	happ**ier**	happ**iest**
ambitious	**more** ambitious	**most** ambitious
quietly	**less** quietly	**least** quietly
well/good	**better**	**best**

■ comparación de dos

EJEMPLOS Which is **longer,** the Nile River or the Amazon River?

Of the cheetah and the gazelle, which animal can run **more swiftly**?

Mount Everest is **higher** than **any other** mountain peak in the world.

■ comparación de más de dos

EJEMPLOS Of all of the lakes of the world, the Caspian Sea is the **largest.**

In the school's walkathon, one of the freshmen walked the **farthest.**

complement (complemento) Un complemento es una palabra o grupo de palabras que completa el significado de un verbo.

EJEMPLOS I gave **Sally** that **picture.**

This is an old **sofa,** but it's very **comfortable.**

complex sentence (oración compleja) Una oración compleja incluye una cláusula independiente y al menos una cláusula subordinada.

EJEMPLO Beethoven, who had a hearing impairment most of his adult life, wrote his ninth symphony after he had become deaf.

compound-complex sentence (oración compuesta y compleja) Una oración compuesta y compleja incluye dos o más cláusulas independientes y al menos una cláusula subordinada.

EJEMPLOS While Arianna was at the shopping mall, she checked both bookstores for Barbara Kingsolver's latest novel, but neither store had a copy in stock.

At the cookout on Saturday, we served yakitori; it is a Japanese dish of bite-sized pieces of meat and vegetables that are placed on skewers and grilled.

compound sentence (oración compuesta) Una oración compuesta incluye dos o más cláusulas independientes, pero no tiene ninguna cláusula subordinada.

EJEMPLOS My family and I recently moved into a new house, and now I have a room of my own.

By area, New York City is the largest city in the world; however, by population, Tokyo-Yokohama is the world's largest urban area.

conjunction (conjunción) Una conjunción une palabras o grupos de palabras.

EJEMPLOS **Both** Robin **and** Michelle arrived early, **but** all the good seats were taken.

While you were sleeping, I worked out.

contraction (contracción) Una contracción es una forma abreviada de una palabra, número o grupo de palabras. Los apóstrofos en las contracciones indican dónde se han omitido letras o números. (Ver también **apostrophe (apóstrofo)**.)

EJEMPLOS

you're [you are]	there's [there is o there has]
who's [who is o who has]	they're [they are]
weren't [were not]	it's [it is o it has]
'91–'94 model [1991–1994 model]	o'clock [of the clock]

D

dangling modifier (modificador colgante) Un modificador colgante es una palabra, frase o cláusula modificadora que no modifica de manera clara y sensata una palabra o grupo de palabras en una oración.

COLGANTE Riding the Ferris wheel, most of the park's other attractions could be seen.

REVISADA **Riding the Ferris wheel, we** could see most of the park's other attractions.

dash (guión largo)

EJEMPLO One of the substitute teachers—Ms. Narazaki, I believe—will accompany us on the field trip.

declarative sentence (oración declarativa) Una oración declarativa hace una declaración de algo y termina con un punto.

EJEMPLO People still enjoy going to movies, despite the popularity of videos.

direct object (complemento directo) El complemento directo es la palabra o grupo de palabras que recibe la acción del verbo o muestra el resultado de una acción. Un complemento directo responde las preguntas *Whom? (¿quién?)* o *What? (¿qué?)* después de un verbo transitivo.

EJEMPLO They gave the **oats** to the horse.

double comparison (comparación doble) Una comparación doble es el uso no estándar de dos formas comparativas (por lo general *more* y *–er*) o dos formas superlativas (por lo general *most* y *–est*) para expresar una comparación. En el uso estándar, la forma correcta es la comparación simple.

NO ESTÁNDAR These small boxes are much more heavier than they appear.

ESTÁNDAR These small boxes are much **heavier** than they appear.

double negative (negativo doble) Un negativo doble es el uso no estándar de dos o más palabras de negación cuando es suficiente usar sólo una.

NO ESTÁNDAR The annual sports banquet doesn't cost the athletes nothing.

ESTÁNDAR The annual sports banquet **doesn't** cost the athletes **anything.**

ESTÁNDAR The annual sports banquet costs the athletes **nothing**.

NO ESTÁNDAR Yesterday, my throat was so sore that I couldn't hardly eat no solid food.

ESTÁNDAR Yesterday, my throat was so sore that I could **hardly** eat **any** solid food.

double subject (sujeto doble) Un sujeto doble ocurre cuando se usa un pronombre innecesario después del sujeto de una oración.

NO ESTÁNDAR Laura and her sister they have a large aquarium of tropical fish.

ESTÁNDAR **Laura and her sister have** a large aquarium of tropical fish.

end marks (signos de puntuación)

■ **con oraciones**

EJEMPLOS Tiger Woods has won the golf tournament. [oración declarativa]

How long has Tiger Woods been playing professional golf? [oración interrogativa]

Oh! [interjección]

What a remarkable golfer Tiger Woods is! [oración exclamativa]

Imagine how you would feel if you were playing in a tournament with Tiger Woods. [oración imperativa]

Don't talk while someone is hitting the ball! [oración imperativa]

■ **con abreviaturas** (Ver **abbreviations (abreviatura)**.)

EJEMPLOS We are planning to go to Washington, D.C.

When are you going to Washington, D.C.?

essential clause/essential phrase (cláusula esencial/frase esencial) Una cláusula o frase esencial o restrictiva es necesaria para dar significado a la oración, y no debe separarse con comas.

EJEMPLOS The man **whose sudden appearance caused the uproar** rose to identify himself. [cláusula esencial]

Students **going on the field trip** should meet in the gym. [frase esencial]

exclamation point (signo de exclamación) (Ver end marks (signos de puntuación).)

exclamatory sentence (oración exclamativa) Una oración exclamativa expresa sentimientos intensos. Las oraciones exclamativas terminan con un signo de exclamación.

EJEMPLO That's absolutely incredible!

fragment (fragmento) (Ver sentence fragment (fragmento de oración).)

fused sentence (oración fusionada) Una oración
fusionada es una oración seguida en la que no se usa ningún signo
de puntuación para separar oraciones completas. (Ver también
comma splice (empalme de coma) y **run-on sentence (oración
seguida)**.)

FUSIONADA	According to my research, the Dome of the Rock was built in Jerusalem during the seventh century it is the oldest existing Muslim shrine.
REVISADA	According to my research, the Dome of the Rock was built in Jerusalem during the seventh century**. It** is the oldest existing Muslim shrine.
REVISADA	According to my research, the Dome of the Rock was built in Jerusalem during the seventh century**; it** is the oldest existing Muslim shrine.

general reference (referencia general) Una referencia
general es el uso incorrecto de un pronombre para referirse a una
idea general en vez de a un sustantivo específico.

GENERAL	The illusionist escaped from a locked trunk, made various fruits and vegetables dance in the air, and levitated. This thrilled her audience.
REVISADA	The illusionist thrilled her audience by escaping from a locked trunk, making various fruits and vegetables dance in the air, and levitating.
REVISADA	The illusionist escaped from a locked trunk, made various fruits and vegetables dance in the air, and levitated. These illusions thrilled her audience.

gerund (gerundio) Un gerundio es una forma verbal
terminada en *–ing* que se usa como sustantivo.

EJEMPLO	**Fishing** for blue crabs is especially popular in the Gulf Coast states.

gerund phrase (frase en gerundio) Una frase en
gerundio consta de un gerundio y sus modificadores y
complementos.

EJEMPLO	**Photographing old stone bridges** is one of Tracy's hobbies.

***good, well* (bueno, bien)**

EJEMPLOS	Benita is a **good** saxophone player.
	Benita played extremely **well** [no *good*] at the tryouts for the school orchestra.

G

H

hyphen (guión)

- **para dividir palabras**

    EJEMPLO   In their flower garden, they planted zinnias, mari■
    golds, and dahlias.

- **en números compuestos**

    EJEMPLO   They planted twenty■three varieties of those kinds of
    flowers.

- **con prefijos y sufijos**

    EJEMPLOS   All of the flowers were in full bloom by mid■July.

    Our garden is pesticide■free.

I

imperative mood (modo imperativo)   El modo
imperativo se utiliza para expresar órdenes o pedir algo de forma
directa.

EJEMPLOS   **Sit** down! [orden]

    Please **read** the minutes of our last meeting. [petición]

imperative sentence (oración imperativa)   Una
oración imperativa es una oración que da una orden o hace una
petición. Las oraciones imperativas terminan con un punto o con
un signo de exclamación.

EJEMPLOS   Please return this to the display case■ [petición]

    Clean this room now! [orden]

incomplete construction (construcción incompleta)
Una construcción incompleta es una cláusula o frase a la que se le
han omitido palabras.

EJEMPLO   I like cheddar cheese more **than he [likes cheddar
cheese].**

indefinite reference (referencia indefinida)   Una
referencia indefinida es el uso incorrecto del pronombre *you, it* o
they para referirse a una persona o cosa indefinida.

INDEFINIDA   In the first issue of the school newspaper, it shows a
calendar of the school's major events.

REVISADA   The first issue of the school newspaper shows a calendar
of the school's major events.

REVISADA   In the first issue of the school newspaper is a calendar of
the school's major events.

independent clause (cláusula independiente) Una cláusula independiente (también llamada *main clause (cláusula principal)*) expresa un pensamiento completo y puede usarse de manera aislada como una oración.

EJEMPLO **Shawna planted the sunflower seeds and tried to imagine** what the flowers would look like.

indicative mood (modo indicativo) El modo indicativo se utiliza para expresar un hecho, una opinión o una pregunta.

EJEMPLOS Georgia O'Keeffe **is** famous for her abstract paintings. [hecho]

Georgia O'Keeffe, in my opinion, **was** the most talented American artist of the twentieth century. [opinión]

Didn't O'Keeffe **paint** *Cow's Skull: Red, White, and Blue*? [pregunta]

indirect object (complemento indirecto) El complemento indirecto es una palabra o grupo de palabras que con frecuencia se coloca entre un verbo transitivo y su complemento directo para decir *a quién, a qué, para quién,* o *para qué* se realiza la acción del verbo.

EJEMPLO Sandy gave **Grandma** the watch.

infinitive (infinitivo) Un infinitivo es una forma verbal antecedida por *to.* Los infinitivos pueden usarse como sustantivos, adjetivos y adverbios.

EJEMPLO Patty tried **to play** the trumpet but decided she preferred **to learn** the clarinet.

infinitive phrase (frase en infinitivo) Una frase en infinitivo es una frase que consta de un infinitivo y sus modificadores y complementos.

EJEMPLO Ms. Snyder tried **to explain the meaning of the phrase,** but we still found it hard to understand.

interjection (interjección) Una interjección expresa emoción y no tiene ninguna relación gramatical con el resto de la oración.

EJEMPLO **Oh no!** I completely forgot!

interrogative sentence (oración interrogativa) Una oración interrogativa hace una pregunta. Las oraciones interrogativas terminan con un signo de interrogación.

EJEMPLO Did you visit Las Cruces when you were in New Mexico**?**

intransitive verb (verbo intransitivo) Un verbo intransitivo es un verbo que no lleva complemento.

EJEMPLO   The queen **waved** good-naturedly.

irregular verb (verbo irregular) Un verbo irregular es un verbo que no forma su pretérito y su participio pasado mediante la adición de –d o –ed a su forma base. (Ver también **regular verb (verbo regular)**.)

Forma base	Participio presente	Pretérito	Participio pasado
be	[is] being	was, were	[have] been
drive	[is] driving	drove	[have] driven
fall	[is] falling	fell	[have] fallen
go	[is] going	went	[have] gone
run	[is] running	ran	[have] run
sing	[is] singing	sang	[have] sung
speak	[is] speaking	spoke	[have] spoken
think	[is] thinking	thought	[have] thought
write	[is] writing	wrote	[have] written

italics (cursivas)

- **en títulos**
  EJEMPLOS   *Their Eyes Were Watching God* [libro]

  U.S. News & World Report [periódico]

  The Ascent of Ethiopia [obra de arte]

  Mozart Portraits [composición musical extensa]

- **en palabras, letras y símbolos usados como tales y en palabras extranjeras**
  EJEMPLOS   Notice that the word *Tennessee* has four *e*'s, two *n*'s and two *s*'s.

  A *jeu de mots* is a pun or a play on words.

its, it's

Escoger entre *its* o *it's* es un problema en inglés porque los dos se confunden a menudo. Se presentan aquí para demostrar su uso correcto en inglés. (No hay problema en español.)

EJEMPLOS **Its** [The coyote's] howling frightened the young campers.

It's [It is] six o'clock.

It's [It has] been raining all day.

lie, lay (recostarse, poner)

Escoger entre *lie* o *lay* es un problema en inglés porque los dos se confunden a menudo. Se presentan aquí para demostrar su uso correcto en inglés. (No hay problema en español.)

■ **El verbo *lie* quiere decir "recostarse" o "estar acostado".**

EJEMPLO I think I will **lie** down and take a short nap before dinner.

■ **El verbo *lay* quiere decir "poner". Se refiere a un objeto.**

EJEMPLO I think I will **lay** this quilt over me.

linking verb (verbo copulativo) Un verbo copulativo une el sujeto con una palabra que lo identifica o lo describe.

EJEMPLO Renata's grandma **looked** great at the party.

misplaced modifier (modificador mal ubicado) Un modificador mal ubicado es una palabra, frase o cláusula que parece modificar la palabra o palabras incorrectas en una oración.

MAL UBICADO Standing in line behind us, we thought we saw the great baseball player José Canseco.

REVISADA We thought we saw the great baseball player **José Canseco standing in line behind us.**

modifier (modificador) Un modificador es una palabra, frase o cláusula que hace más específico el significado de otra palabra o grupo de palabras.

EJEMPLO We **closely** watched him apply the finish **during his demonstration.**

mood (modo) El modo es la forma que toma el verbo para indicar la actitud de la persona que lo utiliza. (Ver también **imperative mood (modo imperativo), indicative mood (modo indicativo)** y **subjunctive mood (modo subjuntivo).)**

nonessential clause/nonessential phrase (cláusula no esencial/frase no esencial) Una cláusula o frase no esencial o no restrictiva agrega información innecesaria a la idea principal de la oración y se separa con comas.

EJEMPLO Granddad's Hudson convertible, **which he bought new in 1951,** was the next item up for auction.

noun (sustantivo) Un sustantivo nombra una persona, lugar, objeto, o idea.

EJEMPLO Before the **war,** most **people** I know never gave the **Balkans** a **thought.**

noun clause (cláusula sustantiva) Una cláusula sustantiva es una cláusula subordinada que se usa como sustantivo.

EJEMPLO **What's really going to amaze you** is how much I paid for it!

number (número) El número es la forma que adquiere una palabra para indicar si es singular o plural.

SINGULAR	bird	I	foot	woman
PLURAL	birds	we	feet	women

O

object of a preposition (complemento de la preposición) El complemento de la preposición es el sustantivo o pronombre con el que termina una frase prepositiva.

EJEMPLO Faced with a huge **pile** of **papers** when she arrived, she took a deep breath and plunged in. [*With a huge pile* y *of papers* son frases prepositivas.]

P

parallel structure (estructura paralela) La estructura paralela es el uso de las mismas formas o estructuras gramaticales para equilibrar las ideas que se relacionan en una oración.

NO PARALELA My parents promised to buy a video camera and that they would let me take it on my school trip.

PARALELA My parents promised **to buy a video camera** and **to let me take it on my school trip.** [dos frases en infinitivo]

parentheses (paréntesis)

EJEMPLOS Ganymede **(**see the chart on page 322**)** is our solar system's largest satellite.

Ganymede is our solar system's largest satellite. **(**See the chart on page 322.**)**

participial phrase (frase en participio) Una frase en participio consta de un participio y cualesquiera de sus complementos y modificadores.

EJEMPLO At the wildlife park, we were startled by the gibbons **swinging through the trees.**

participle (participio) Un participio es una forma verbal que puede usarse como adjetivo.

EJEMPLO   The **exhausted** hikers headed for home.

passive voice (voz pasiva) La voz pasiva es la voz que usa un verbo cuando expresa una acción dirigida al sujeto. (Ver también **voice (voz)**.)

EJEMPLO   The posters on the bulletin board outside the principal's office **were changed** once a week.

period (punto) (Ver **end marks (signos de puntuación)**.)

phrase (frase) Una frase es un grupo de palabras relacionadas que puede tener un sujeto o un verbo pero no los dos juntos, y que puede usarse como una parte singular de la oración.

EJEMPLOS   **A man of elegance and style,** Uncle Jesse lives **in Georgia.** [*A man of elegance and style* es una frase apositiva. *Of elegance and style* y *in Georgia* son frases prepositivas.]

Press this lever **to open the cage door.** [*To open the cage door* es una frase en infinitivo.]

Smiling at her fans, the actress signed autographs. [*Smiling at her fans* es un frase en participio. *At her fans* es una frase prepositiva.]

Being on time for appointments is courteous. [*Being on time for appointments* es una frase en gerundio. *On time* y *for appointments* son frases prepositivas.]

predicate (predicado) El predicado es la parte de la oración que dice algo acerca del sujeto.

EJEMPLO   They **had been living in California for twenty years.**

predicate adjective (predicado adjetivo) Un predicado adjetivo es un adjetivo que completa el significado del verbo copulativo y modifica el sujeto del verbo.

EJEMPLO   Does the garage smell **strange**?

predicate nominative (predicado nominal) Un predicado nominal es un sustantivo o pronombre que completa el significado de un verbo copulativo e identifica o se refiere al sujeto del verbo.

EJEMPLO   Federico Fellini was a famous **filmmaker.**

prefix (prefijo) Un prefijo es la parte de una palabra que se agrega a la base o raíz de una palabra.

EJEMPLOS un + known = **un**known   il + legible = **il**legible

re + write = **re**write   pre + school = **pre**school

self + confidence   trans + Siberian =
  = **self**-confidence   **trans**-Siberian

mid + August =   ex + president =
  mid-August   **ex**-president

preposition (preposición) Una preposición muestra la relación entre un sustantivo o pronombre y alguna otra palabra de la oración.

EJEMPLO He came **from** Mexico and settled **near** Houston to find jobs **for** his family.

prepositional phrase (frase prepositiva) Una frase prepositiva incluye una preposición, un sustantivo o un pronombre llamado complemento de la preposición y los modificadores de ese complemento.

EJEMPLO Having breakfast **on the Bar X Ranch** was a real treat **for all of us.**

pronoun (pronombre) Un pronombre es una palabra que se usa en lugar de uno o más sustantivos o pronombres.

EJEMPLO Colin thinks **he** might be moving upstate.

Did **you** paint **your** room by **yourself**?

Some of the puppies look like **their** mother.

Q

question mark (signo de interrogación) (Ver end marks (signos de puntuación).)

quotation marks (comillas)

■ **en citas directas**
EJEMPLO "Before the secretary of state returns to Washington, D.C.," said the reporter, "she will visit Dar es Salaam, Tanzania, and Nairobi, Kenya."

■ **con otros signos de puntuación** (Ver también el ejemplo anterior.)
EJEMPLOS "In which South American country is the Atacama Desert?" asked Geraldo.

Which poem by Edgar Allan Poe begins with the line "Once upon a midnight dreary, while I pondered weak and weary"**?**

Carlotta asked, "Did Langston Hughes write a poem titled 'A Dream Deferred'**?**"

■ **en títulos**

EJEMPLOS   "The Rockpile" [cuento]

"Muddy Kid Comes Home" [poema breve]

"River Deep, Mountain High" [canción]

regular verb (verbo regular)   Un verbo regular es aquel que forma su pretérito y su participio pasado mediante la adición de –*d* o –*ed* a su forma base. (Ver también **irregular verb (verbo irregular)**.)

Forma base	Participio presente	Pretérito	Participio pasado
ask	[is] asking	asked	[have] asked
drown	[is] drowning	drowned	[have] drowned
suppose	[is] supposing	supposed	[have] supposed
use	[is] using	used	[have] used

***rise, raise* (levantarse, levantar)**   *Rise* significa "levantarse" y no lleva un complemento directo. *Raise* significa "levantar" un objeto y por lo general lleva un complemento directo.

EJEMPLOS   The hot-air ballon is **rising**.

She is **raising** the windows to let in some fresh air.

run-on sentence (oración seguida)   Una oración seguida consiste en dos o más oraciones completas que se combinan para formar una sola oración. (Ver también **comma splice (empalme de coma)** y **fused sentence (oración fusionada)**.)

SEGUIDA   In 1903, Marie Curie and her husband, Pierre, won the Nobel Prize in physics in 1911 she alone won the Nobel Prize in chemistry.

REVISADA   In 1903, Marie Curie and her husband, Pierre, won the Nobel Prize in physics**.** In 1911, she alone won the Nobel Prize in chemistry.

REVISADA   In 1903, Marie Curie and her husband, Pierre, won the Nobel Prize in physics**;** in 1911, she alone won the Nobel Prize in chemistry.

R

semicolon (punto y coma)

■ **en oraciones compuestas, sin conjunción**

EJEMPLO   Salma decided to read Amy Tan's *The Joy Luck Club*; her English teacher recommended it.

■ **en oraciones compuestas con adverbios de conjunción**

EJEMPLO   Elizabeth went to the library to check out Carson McCullers's *The Member of the Wedding*; **however,** another reader had already checked out the library's only copy.

■ **entre elementos en serie, separados por comas**

EJEMPLO   This summer I read three great books: *The House on Mango Street,* a collection of short stories by Sandra Cisneros; *Pacific Crossing,* a novel by Gary Soto; and *The Piano Lesson,* a play by August Wilson.

sentence (oración)   Una oración es un grupo de palabras que contiene un sujeto y un verbo, y que expresa un pensamiento completo.

S   **V**

EJEMPLO   The leaves scattered on the autumn wind.

sentence fragment (fragmento de oración)   Un fragmento de oración es un grupo de palabras que incluye signos de puntuación como si fuera una oración completa, pero que no tiene ni sujeto ni verbo, ni expresa un pensamiento completo.

FRAGMENTO   The spider monkey, found chiefly in Costa Rica and Nicaragua.

ORACIÓN   The spider monkey, found chiefly in Costa Rica and Nicaragua, is an endangered species.

simple sentence (oración simple)   Una oración simple incluye una cláusula independiente, pero no incluye cláusulas subordinadas.

EJEMPLOS   Dr. Mae C. Jemison is an astronaut.

Who first walked in space?

sit, set (sentarse, poner)   *Sit,* que significa "sentarse", raramente lleva un complemento directo. *Set,* que significa "poner", por lo general lleva un complemento directo.

EJEMPLOS   The music students **sat** quietly, enjoying a sonata by Frédéric Chopin. [pretérito de *sit*]

The music director **set** the sheet music on each student's desk. [pretérito de *set*]

slow, slowly (lento, lentamente)

EJEMPLO Proceeding **slowly** [no *slow*] through the food court, the mariachi band played festive music to entertain the diners.

stringy sentence (oración en cadena) Una oración en cadena es una oración que contiene demasiadas cláusulas independientes. Por lo general, las cláusulas se unen mediante conjunciones coordinantes como *and (y)* o *but (pero)*.

EN CADENA Yesterday afternoon, my friends and I were playing kickball in my backyard, and when Rahm kicked the ball to the fence, we spotted a wren, and it was hobbling on one leg, so I gently picked up the bird and carried it inside to my mother, and she tried hard to make a splint for the injured leg, but she was unsuccessful, so finally she and I decided to take the wren to our veterinarian.

REVISADA Yesterday afternoon, my friends and I were playing kickball in my backyard. When Rahm kicked the ball to the fence, we spotted a wren hobbling on one leg. I gently picked up the bird and carried it inside to my mother. Although she tried hard to make a splint for the injured leg, she was unsuccessful. Finally, she and I decided to take the wren to our veterinarian.

subject (sujeto) El sujeto dice de quién o de qué trata la oración.

EJEMPLO Isn't the **mayor** going to be there?

subject complement (complemento del sujeto) Un complemento del sujeto es una palabra o grupo de palabras que completa el significado de un verbo copulativo, e identifica o modifica el sujeto.

EJEMPLO My grandfather, who is usually **cheerful**, is an **optimist**.

subjunctive mood (modo subjuntivo) El modo subjuntivo se utiliza para expresar una sugerencia, una necesidad, una condición contraria a los hechos o un deseo.

EJEMPLOS It is essential that Luisa **attend** the meeting on Monday. [necesidad]

If I **were** you, I would apply for the scholarship. [condición contraria al hecho]

Ashley wishes she **were** able to go with you to the Juneteenth picnic. [deseo]

subordinate clause (cláusula subordinada) Una cláusula subordinada (también llamada *dependent clause (cláusula dependiente)*) tiene un sujeto y un verbo, pero no expresa un pensamiento completo y no puede usarse de manera aislada como una oración. (Ver también **adjective clause (cláusula adjetiva)**, **adverb clause (cláusula adverbial)** y **noun clause (cláusula sustantiva)**.)

EJEMPLO   **After they had dinner,** they sat on the porch and remembered old times.

suffix (sufijo) Un sufijo es la parte de una palabra que se agrega después de la raíz o base de una palabra.

EJEMPLOS   brave + ly = brave**ly**   kind + ness = kind**ness**

happy + ness = happi**ness**   obey + ing = obey**ing**

drop + ed = dropp**ed**   dream + er = dream**er**

T

tense of verbs (tiempos verbales) El tiempo verbal indica el tiempo de la acción o el estado en que se expresa el verbo.

Presente	
I give	we give
you give	you give
he, she, it gives	they give
Pretérito	
I gave	we gave
you gave	you gave
he, she, it gave	they gave
Futuro	
I will (shall) give	we will (shall) give
you will (shall) give	you will (shall) give
he, she, it will (shall) give	they will (shall) give
Presente perfecto	
I have given	we have taken
you have given	you have given
he, she, it has given	they have given

Pasado perfecto	
I had given	we had given
you had given	you had given
he, she, it had given	they had given

Futuro perfecto	
I will (shall) have given	we will (shall) have given
you will (shall) have given	you will (shall) have given
he, she, it will (shall) have given	they will (shall) have given

transitive verb (verbo transitivo) Un verbo transitivo es un verbo de acción que lleva complemento.

EJEMPLO   Ms. Southhall **excused** me when I **explained** the situation.

underlining (subrayar) (Ver **italics (cursivas)**.)

verb (verbo) Un verbo expresa una acción o estado.

EJEMPLOS The waters of the Brahmaputra River **flow** from the Himalayan snows.

He **is** happy.

verbal (verbal) Un verbal es una forma del verbo usada como sustantivo, adjetivo o adverbio.

EJEMPLOS **Chattering** and **screaming**, the monkeys disappeared into the treetops.

I especially enjoyed the **dancing**.

Is that hard **to see**?

verbal phrase (frase de verbal) Una frase de verbal consta de una forma verbal y cualesquiera de sus modificadores y complementos. (Ver también **participle phrase (frase en participio)**, **gerund phrase (frase en gerundio)** y **infinitive phrase (frase en infinitivo)**.)

EJEMPLOS **Pleased to see his master,** Alf the dachshund wagged his tail vigorously.

Studying together helps me.

He'd like **to give Ella a gift**.

verb phrase (frase verbal) Una frase verbal consta de un verbo principal y al menos un verbo auxiliar.

EJEMPLO   Strange as it **may seem**, I **have** never **eaten** an avocado.

voice (voz) La voz es la forma que adopta un verbo transitivo para indicar si el sujeto del verbo realiza o recibe la acción del verbo.

VOZ ACTIVA   Steven Spielberg **directed** the movie.
VOZ PASIVA   The movie **was directed** by Steven Spielberg.

weak reference (referencia débil) Una referencia débil es el uso incorrecto de un pronombre para referirse a un antecedente que no ha sido expresado.

DÉBIL   I was surprised to learn that my aunt Frances, who is a programmer for a computer company, does not have one in her home.

REVISADA   I was surprised to learn that my aunt Frances, who is a programmer for a computer company, does not have a computer in her home.

***well* (bien)** (Ver *good, well* (bueno, bien).)

***who, whom* (quien, quien)** *Who* significa "quien" cuando se usa como el sujeto de un verbo. *Whom* significa "quien" cuando se usa como el complemento directo de un verbo o el complemento de una preposición.

EJEMPLOS   Enrique, **who** had applied for a part-time job at the animal clinic, asked me to write a letter of recommendation.

Enrique, **whom** I had recommended for a part-time job at the animal clinic, learned today that he will start working this weekend.

wordiness (redundancia) La redundancia es el uso de palabras innecesarias o el uso de palabras rebuscadas cuando pueden usarse palabras más sencillas.

REDUNDANCIA   In spite of the fact that my friend Akira, who is my best friend, is moving to another state, we think that, in our opinion, we will continue to remain good friends due to the fact that we have so much in common.

REVISADA   Although Akira, my best friend, is moving to another state, we think we will remain good friends because we have so much in common.

Part IV   Video Summaries

Video Summaries

This section provides summaries of video clips that appear on the *Visual Connections Videocassette Program.*

Memories and Celebrations *Videocassette, Segment 1*

El segmento de la cinta de video "Memories and Celebrations" (Recuerdos y celebraciones) presenta imágenes y sonidos de una gran variedad de celebraciones y festividades nacionales, locales y de culturas específicas en Estados Unidos. Los estudiantes pueden observar varios tipos de música y danza en pequeños y grandes festivales de todo el país. El segmento ofrece un vistazo a las tradiciones que muchas culturas de Estados Unidos conservan, entre ellas las que se centran en el matrimonio y la crianza de los hijos.

The Harlem Renaissance *Videocassette, Segment 2*

En el segmento de la cinta de video "The Harlem Renaissance" (El renacimiento de Harlem), se presentan a los estudiantes la música, poesía y literatura de Harlem en la década de 1920 y principios de la década de 1930. La vigorosa ola creativa que caracterizó el movimiento expresaba un nuevo orgullo en la cultura africana. Las migraciones de afroamericanos que venían del sur rural a Harlem en busca de trabajo alimentaron el renacimiento de Harlem. El crecimiento de la población tuvo efectos tanto positivos como negativos en la comunidad: existía un ambiente que propiciaba el intercambio de ideas de afroamericanos talentosos; pero también disturbios destructivos.

Irony in Italy: "The Cask of Amontillado"
Videocassette, Segment 3

En el segmento de la cinta de video "Irony in Italy: 'The Cask of Amontillado'" (Ironía en Italia: El barril de Amontillado), se presenta a los estudiantes el elemento literario de la ironía y su uso en el famoso relato de Edgar Allan Poe sobre la venganza y locura en las terribles catacumbas. La ironía se define como el contraste entre expectativas y realidad, entre lo que se dice y lo que realmente se quiere decir y entre lo que se espera que suceda y lo que sucede en realidad. En el segmento se habla de los varios ejemplos de la ironía dramática y verbal en el escenario del relato, su trama, el desarrollo de los personajes y el diálogo. Mientras que se discuten los ejemplos, se presentan escenas actuadas en la pantalla.

Pat Mora: Remembered Voices *Videocassette, Segment 4*

En el segmento de la cinta de video "Pat Mora: Remembered Voices" (Pat Mora: Voces guardadas en la memoria), la poetisa Pat Mora expresa sus puntos de vista sobre el lenguaje y la poesía. Mora lee su poema "Una voz" y discute la obra, que se basa en la infancia de su madre. Mora explica que, aunque sus abuelos maternos sólo hablaban español, su madre aprendió inglés cuando era niña y participó en torneos de oratoria. Mora afirma que ama a México y respeta las tradiciones méxico-americanas. Según Mora, uno de los objetivos de la poesía es decir mucho con pocas palabras. Ella sostiene que la poesía no se trata de rimas o ritmos preestablecidos, aunque sí abarca tanto ritmo como música. Para Mora, la poesía es el "lenguaje utilizado de una manera fresca".

Gary Soto: Talking About Writing *Videocassette, Segment 5*

En el segmento de la cinta de video "Gary Soto: Talking About Writing" (Gary Soto: Pláticas sobre la escritura), los estudiantes ven y escuchan hablar a Gary Soto sobre su escritura y su vida. Soto enfatiza la importancia de ser franco al escribir y centrarse en lo que uno conoce bien, de escribir sobre cosas que uno conoce de su propia vida. Soto subraya la importancia de reconocer el valor de las actividades y eventos cotidianos. El escritor estimula a los estudiantes a "que se dejen llevar por su imaginación", a utilizar la imaginación y ser impredecibles al momento de escribir.

Poetry as Performance *Videocassette, Segment 6*

En el segmento de la cinta de video "Poetry as Performance" (La poesía como espectáculo), se presenta a los estudiantes el grupo Poetry Alive! (¡Poesía en vivo!). Este grupo lleva la poesía a los salones de clase en forma de espectáculo: representan poemas como "The Cremation of Sam McGee" (La cremación de Sam McGee) y a continuación ofrecen talleres en los que los estudiantes aprenden a leer, escenificar y representar un poema. El vocero del grupo explica que la poesía no está hecha para estudiarse cuando hay examen, sino para sentirla, para apropiarse de ella y experimentarla en carne propia; objetivos que se cumplen al representar poesía en el escenario. Finalmente, el segmento muestra a los estudiantes trabajando en la representación de otro poema, "Fifteen" (Quince) de William Stafford.

Images in Haiku *Videocassette, Segment 7*

El segmento de la cinta de video "Images in Haiku" (Imágenes en haikú), presenta a los estudiantes una forma de poesía japonesa: el haikú. El narrador explica que en un haikú, el poeta expresa en un solo aire una única emoción, la esencia de una experiencia y un elemento de la naturaleza. Los estudiantes aprenden que el haikú combina los elementos dónde, qué y cuándo en un sólo concepto que el lector luego interpreta. Los haikú están acompañados por imágenes del paisaje y arte japonés y por escenas del teatro Kabuki. El haikú, explica la cinta, es un arte vivo que se sigue practicando hoy en día con la misma forma y función que adoptó a finales del siglo diecisiete.

The Private Poet: Emily Dickinson *Videocassette, Segment 8*

El segmento de la cinta de video "The Private Poet: Emily Dickinson" (La poetisa reservada: Emily Dickinson) presenta un panorama general de la vida de la famosa poetisa estadounidense del siglo diecinueve. Los estudiantes se dan cuenta de que, aunque aparentemente Dickinson se veía como una persona tranquila y reservada, fue una escritora vivaz e inspirada, que utilizó el lenguaje y la composición de formas nuevas y audaces. Este segmento resalta momentos importantes en la vida de Dickinson: su decisión de regresar a Amherst, Massachusetts, donde adoptó una existencia solitaria y escribió sobre aquello que le era conocido; un posible interés amoroso a principios de la década de 1860; su período de mayor creatividad; su correspondencia con el crítico Thomas Higginson; y el descubrimiento, por parte de su hermana, de los poemas de Dickinson después de su muerte en 1886.

Here There Be Monsters *Videocassette, Segment 9*

El segmento "Here There Be Monsters" (Por aquí debe haber monstruos) explora la fascinación que los monstruos ejercen sobre la humanidad. Los estudiantes aprenden que a lo largo de la historia, la gente ha confundido animales desconocidos o aún no identificados con monstruos. Algunas criaturas, entre ellas los pulpos, ballenas, calamares, tiburones y manatíes eran consideradas serpientes de tierra o de mar. Los manatíes son grandes mamíferos acuáticos que pertenecen al orden sirenia, al igual que los dugongs. Animales tropicales, de agua dulce, los manatíes se alimentan de plantas acuáticas y habitan las costas del Caribe y Florida, así como algunas regiones de Sudamérica y África. Las serpientes de mar también son comunes en la literatura. El segmento destaca la historia de una serpiente legendaria de Escocia, el monstruo de Loch Ness, y pregunta si se trata de una leyenda o un hecho. Se discuten reportajes sobre "Nessie", un famoso montaje fotográfico del monstruo, y los esfuerzos científicos modernos por resolver el misterio.

A Shared Memory *Videocassette, Segment 10*

En el segmento de la cinta de video "A Shared Memory" (Un recuerdo compartido), los estudiantes observan las formas en que los recuerdos compartidos, ya sean tristes debido a una pérdida o felices debido a un suceso alegre, ayudan a las personas a sentirse unidas entre sí. La importancia del recuerdo se subraya en escenas cinematográficas de la vida de John F. Kennedy, su asesinato y una discusión sobre el impacto que tuvo su muerte sobre la nación y sobre el resto del mundo. También se enfatiza el hecho de que la gente se une en momentos de pérdida y para salir adelante en la vida.

Where in the World Did Odysseus Go? *Videocassette, Segment 11*

El segmento de la cinta de video "Where in the World Did Odysseus Go?" (¿A dónde se fue Odiseo?) examina la posible ruta del héroe griego rumbo a su hogar al finalizar la Guerra de Troya. El poema épico de Homero "La Odisea" narra el viaje de diez años que llevó a Odiseo desde Troya hasta Itaca. Odiseo empezó su viaje en el mar Egeo, pero una tormenta lo sacó de su curso cuando rodeaba la punta sureste de Grecia y probablemente lo llevó, junto con su tripulación, hasta África del Norte. De ahí en adelante, la ruta que Odiseo pudo haber seguido es puramente materia de especulación para los expertos. Los eruditos tienen la teoría de que Odiseo pudo haberse encontrado con el cíclope en la isla de Creta o en Sicilia; con la diosa Circe en la costa oeste de Italia, en la isla griega de Paxos o en alguna parte del océano Atlántico; y haber sido tentado por las sirenas en las costa oeste de Italia o en Cabo Yrapetra, cerca de Grecia. Lo único que sabemos a ciencia cierta es que Odiseo exploró lo desconocido.

The Bard: William Shakespeare *Videocassette, Segment 12*

El segmento de la cinta de video "The Bard: William Shakespeare" (El poeta: William Shakespeare) presenta personajes contemporáneos de Shakespeare: actores como Will Kemp y Richard Burbage, y algunos miembros de la realeza, como la reina Isabel. El segmento también incluye fotografías de escenas de las obras de teatro de Shakespeare, así como imágenes de lugares asociados con el poeta, entre cuales se encuentran Stratford-on-Avon, Londres y teatros ingleses del siglo dieciséis, como el "Globe". El narrador identifica sucesos importantes de la vida y época de Shakespeare, desde su nacimiento en Stratford-on-Avon en 1564 hasta su muerte en 1616.